De tovenaar van Bakenes

Voor Susan

Nu huilt de wind, nu blaft de hond
nu jaagt de duivel door het vuur.
Wat ooit een laatste rustplaats vond
wordt wakker op dit boze uur.

(uit: Jan Willem Devaen: *De Hondswacht*)

Bies van Ede

De tovenaar van Bakenes

Zwijsen

Boeken met dit vignet zijn op niveaubepaling geregistreerd en gecontroleerd door KPC Onderwijs Adviseurs te 's-Hertogenbosch.

0 1 2 3 4 5 / 04 03 02 01 00

ISBN 90.276.8627.0
NUGI 221

Omslagillustratie: Alice Hoogstad
Uitgeverij Zwijsen Algemeen B.V. Tilburg

Voor België:
Uitgeverij Infoboek N.V. Meerhout
D/2000/1919/192

Inhoud

In 'De heksen van het zwarte licht' probeert een groep heksen de poort van de hel te vinden om toverkracht van de duivel te krijgen. Ze hebben daar kaarsen voor nodig die ze willen laten maken in de Oprechte Haarlemmer Kaarsenfabriek.
Rein, die klusjes in de kaarsenmakerij doet, ontdekt dat zijn ouders lid zijn van deze heksenkring. Ze hebben er alles voor over, zelfs hun eigen zoon, om hun plannen te laten slagen. Zijn ouders verdwijnen daarbij achter de poort van de onderwereld. Meneer Witte biedt aan om Reins pleegvader te zijn. Zo begint er voor Rein een nieuw leven.

1. De slaapwandelaar

Een gure wind jaagt door de straten van de stad. Enorme zwarte wolken komen over als oorlogsschepen. Dreigende kolossen die het licht van de maan en de sterren doven. Straatlantaarns zwiepen. Hun licht werpt geheimzinnige schaduwen tegen de huizen. De kerkklokken die middernacht slaan, worden overstemd door het gieren van de wind.
In de grote winkelstraat gaat de avondvoorstelling van de bioscoop uit. Even is er het lawaai van stemmen, wandelaars, fietsen die van het slot gaan. Een paar minuten later is het weer doodstil. Iedereen haast zich naar huis. Zelfs in de cafeetjes waar het na de film altijd druk is, zitten nu maar een paar mensen.
In een huis aan de Bakenessergracht, op een zolder met krakende balken en zuchtende spanten, slaapt een man. Hij draait onrustig in zijn bed. Af en toe mompelt hij. Is het de storm die zijn nachtrust verstoort?
Als een plotselinge rukwind over zijn dak jaagt en de pannen laat ratelen, schiet de man overeind. Zweet staat op zijn voorhoofd. Angst schittert in zijn ogen.
De wind rammelt weer aan het dak. De man kijkt geschrokken omhoog, alsof er tegen hem gepraat wordt.
'Nee,' mompelt hij. 'Nee, laat me met rust. Ik wil niet.'
Op de storm komt opeens een stem aanwaaien. Of ís de storm de stem? Woorden wapperen mee op het geraas, blijven in de nok van de zolder hangen en vormen een zin.

'Je hebt gesproken,' sist de wind. 'Je hebt de woorden gezegd. Nu moet je afmaken wat je begonnen bent.'
De man in het bed schudt wild zijn hoofd, maar nog terwijl hij nee-schudt, staat hij al op. Onwillig, tegenspartelend, alsof een onzichtbare hand hem duwt, gaat hij in zijn keurige ouderwetse pyjama naar de deur van de slaapkamer. Hij daalt de trap af en verdwijnt in een zijkamer.
Daar wordt hij binnen een paar minuten een andere mens. In de open haard brandt een paarsblauw vuur. De man staart erin, alsof hij aandachtig luistert naar een gezicht dat tegen hem praat. Misschien komt het door de wind die in de schoorsteen huilt en die de vlammen vreemd laat wapperen, maar het is echt of het vuur een gezicht heeft.

2. Valse lucht

Rein zat op de bank in de hal en speelde op zijn play-station bij het licht van de enorme kandelaar met zevenenzeventig brandende kaarsen. Het kaarslicht glom in de wandkleden die de muren bedekten. De adventure waar hij mee bezig was, ging eindelijk goed. Na dagen van proberen, zoeken en fouten maken, begreep hij min of meer hoe het spel in elkaar zat. Hij had inmiddels meer dan vijfhonderd punten en kon ieder moment naar een hoger niveau gaan.
Net toen hij al zijn aandacht nodig had bij een ingewikkelde combinatie van pijltjestoetsen, werd hij gestoord door een verandering in het licht. Hij keek op en zag dat in de bovenste kring van de kandelaar kaarsen uitgedoofd waren. Verbaasd legde hij zijn play-station opzij.
De kandelaar was een van de belangrijkste meubelstukken van het huis. Reins pleegvader zorgde ervoor dat de kaarsen altijd ruim op tijd vervangen werden, zodat er nooit een uit kon gaan. Het vernieuwen van de kaarsen was een dagelijks ritueel, waar Reins pleegvader alle tijd voor nam. De kaarsen waren een belangrijk onderdeel van de witte magie waar het in huis allemaal om draaide.
Twee van de kaarsen in de kandelaar brandden voor zijn ouders. Als herinnering aan hoe ze door de aarde waren verzwolgen. Verdwenen achter de poort van de onderwereld.

'Verdwenen, maar niet weg,' zei meneer Witte. 'Daarom mogen we ze niet vergeten. En zij mogen jou niet vergeten.'
Rein liep naar de kandelaar en keek naar de grijswitte rookpluimen die van de gedoofde kaarsenpitten walmden. Het was bijna of een onzichtbare aanwezigheid de vlammen had uitgeblazen.
Hij rilde. Een jaar geleden had hij een angstaanjagend avontuur met een onzichtbare indringer meegemaakt. Een avontuur waarbij hij zijn ouders was verloren. Meneer Witte, die hem met zijn witte magie had gered, was sindsdien zijn pleegvader. Rein mocht Steven zeggen, maar hij hield het op 'oom' Steven.
De rookpluimpjes waren intussen opgelost. De kaarsen in de onderste ringen van de kandelaar brandden met dansende vlammen. Het leek of het in huis van alle kanten tochtte, want sommige vlammen wapperden naar links, andere naar rechts, naar voren of naar achteren.
Onrust in het vuur. Rein wist er wel zoveel van, dat hij zich zorgen maakte om deze slechte voortekenen. Kon hij de uitgewaaide kaarsen weer aansteken of moesten er nieuwe in? En kon hij dat zelf, of had hij oom Steven daarbij nodig? Voordat hij een besluit kon nemen, hoorde hij tot zijn opluchting de voordeur opengaan. Oom Steven was thuis.
'Zo,' zei hij tevreden terwijl hij de vestibule binnenstapte. 'Ben je al opgeschoten met je spelletje? Ik geloof...'
Zijn stem stokte toen hij de gedoofde kaarsen zag. Hij

keek ernaar, hij keek naar Rein alsof hij wilde zeggen: jíj hebt ze toch niet uitgeblazen? en liep toen haastig weg. Even later was hij terug, niet met kaarsen, maar met een stuk glas dat eruitzag als een enorme diamant. Met het glas aan zijn oog draaide hij om de kandelaar heen. Rein keek, met ingehouden adem, zonder dat hij wist waarom. Hij verwachtte geen tovenarij, want zo zat witte magie niet in elkaar. Meneer Witte - oom Steven - noemde zichzelf ook nooit tovenaar. Maar dat hij wel degelijk vreemde krachten beheerste, kon je aan alles merken. Het huis, bijvoorbeeld, was vanbinnen veel groter dan het vanbuiten leek. De gang alleen al, was veel te lang om in het huis te passen. Er waren minstens twintig kamers - Rein was ervan overtuigd dat hij ze nog lang niet allemaal gezien had - terwijl je aan de buitenkant maar vijf slaapkamerramen telde.

Vreemd genoeg waren het dingen waar je aan wende. Ze waren er altijd en spreuken of bezweringen had je er niet voor nodig. 's Nachts hoorde je geen angstaanjagende geluiden, er waren geen geheimzinnige bezoekjes van griezelige types. Oom Steven was alleen op de meest onverwachte momenten een dag, of een paar dagen, verdwenen en bij vlagen stond de bel niet stil omdat iedereen zieke huisdieren had waar de dierenarts geen raad mee wist. Oom Steven genas ze vrijwel allemaal.

'Rein, is er iets gebeurd voordat de kaarsen doofden?' vroeg oom Steven toen hij de kandelaar van alle kanten had bestudeerd.

‘Weet ik eigenlijk niet,’ zei Rein. ‘Ik lette alleen maar op mijn spelletje.’
‘Hmm. Geen plotselinge regen, of een tochtvlaag? Kraakte er iets in huis?’
Rein schudde zijn hoofd. ‘Ik dacht alleen dat... nou ja...’
‘Nee, vertel. Alles is belangrijk.’
‘Nou ja, ik moest denken aan die keer dat een van de heksen van het zwarte licht onzichtbaar in mijn oude huis was.’
Oom Steven knikte. ‘Had je het gevoel dat een onzichtbare adem de kaarsen uitblies?’
‘Ja, eigenlijk wel.’
Oom Steven liet het brok geslepen glas door zijn handen rollen. ‘Dat gevoel heb ik dus ook.’ Hij keek naar de ring gedoofde kaarsen.
‘Tien vlammen zijn in één keer gedoofd. Dat is veel, Rein. Heel veel. Er is een sterke kracht opgestaan. Een kracht die zich met mij wil meten.’
Rein zag dat er in het stuk glas een paarsblauw vlammetje brandde dat er daarnet nog niet geweest was.
‘Wat is dat voor glas?’ vroeg hij.
Oom Steven stak hem zijn hand toe. ‘Kwarts. Zit ook in jouw play-station, maar dan veel en veel kleiner. Kwarts is gevoelig voor stroom. Elektrische stroom, of hoe zal ik het zeggen, gevoelsstroom. Ik heb geprobeerd de kracht te meten die de kaarsen heeft gedoofd. Is niet gelukt. Ik heb zelfs niet kunnen nagaan uit welke richting de kracht kwam.’
Rein pakte het brok kwarts en voelde tot zijn verba-

zing dat het warm was en zacht. Alsof het een levende steen was. Het paarsblauwe vlammetje leek traag te bewegen.
'Waar komt die vlam vandaan?' vroeg hij. 'Die was er net toch nog niet?'
'Nee,' zei oom Steven. 'Het is de enige aanwijzing die het kwarts geeft. Er is iets met vuur gaande. Ongezond vuur. Meer weet ik niet.'
'Enne, gewoon tocht?' zei Rein.
'Gewone tocht krijgt deze kaarsen niet uit. Nee, Rein, ik hoopte dat het rustig zou blijven in de stad. We hebben de zwarte krachten een flinke klap verkocht toen we de heksenkring van je ouders versloegen. Maar de strijd is nooit voorbij. Er is weer werk aan de winkel.'
'Kan ik helpen?'
Oom Steven schudde zijn hoofd. 'Nee, voorlopig niet. Kom. We gaan nieuwe kaarsen zetten.'

3. Poedel

Op de Bakenessergracht scharrelde een poedel tussen de auto's die langs het water geparkeerd stonden. Het beest had vreemde gespierde poten met nagels waar een pitbull jaloers op zou zijn. Het stak zijn fletsroze neus onder de auto's en rook aan portieren, alsof het de auto van zijn baasje zocht.

Een kleuter die met zijn vader op weg naar school was, zag het dier en lokte het met een uitgestoken handje.

De poedel sprong met vier poten tegelijk op, opende zijn bek en beet naar de kleine worstvingertjes van het kind. Een rij kromme, gele slagtanden stond schots en scheef in zwart tandvlees.

De kleuter slaakte een verbaasd kreetje toen de poedel toehapte en begon onmiddellijk daarna hoog en wanhopig te krijsen. Zijn vader probeerde de poedel los te schoppen, maar terwijl het bloed uit zijn bek stroomde, bleef de hond vasthouden. De steeds hardere trappen van de vader leek hij niet te voelen.

Pas toen de kleuter bewusteloos op de grond zakte, liet de poedel los. Het volgende ogenblik was hij verdwenen. Opgelost in het niets, of weggedoken onder de auto's? De vader lette daar niet op. Die graaide naar zijn zaktelefoon en belde het alarmnummer.

Het Haarlems Dagblad schreef een stukje van tien regels over de hond, die een vierjarig jongetje zwaar had

verwond. Over de schots en scheve slagtanden in zwart tandvlees stond niets. Over de vreemde verdwijning van de poedel ook niet.
Een dag later werd een oude zwerver naar het ziekenhuis gebracht, die al jaren zijn slaapplaats had in een leegstaand gebouw waar ooit een drukkerij was geweest. Al was het een gekke oude man, de dokter op de eerste hulp schrok toch toen hij zijn verhaal hoorde.
Een poedel had hem aangevallen, vertelde de zwerver verward. Terwijl hij sliep. Hij had een hap uit zijn arm genomen en daarna zijn bloed gedronken alsof hij een vampierhond was. En daarna, daarna had de poedel tegen hem gesproken. Niet eens met een hondenstem, maar met een echte, menselijke stem.
Het vampiergedoe vond de dokter onzin, maar het bleef een feit dat de zwerver nog maar een paar druppels bloed in zijn lijf had. Dat was natuurlijk ook de verklaring voor dat praten van de poedel: de zwerver had waandenkbeelden gekregen door het tekort aan bloed.
De krant schreef een stukje van tien regels over de vreemde toestand. De Haarlemmers liepen na dat tweede artikeltje met een bocht om alle poedels heen.

Meneer Witte had de twee stukjes op het prikbord in de keuken gehangen. Hij stond er een paar keer per dag naar te kijken. Hoofdschuddend, en zonder Rein iets uit te leggen.
De kaarsen in de grote kandelaar waren niet meer uitgegaan, oom Steven was ook niet een paar dagen weg-

gebleven, maar Rein voelde dat er iets aan de hand was dat niet zomaar voorbij zou gaan. Hij wilde graag helpen, maar durfde er niet over te beginnen. Daarom hield hij de kandelaar scherp in de gaten en won veel minder punten op zijn play-station dan had gekund.

Een paar dagen later was er een merkwaardige inbraak in de stadsbibliotheek. De schoonmaakploeg die 's ochtends om zes uur als eerste in het gebouw kwam, ontdekte dat de deur naar de kelder was opengebroken. In de kelder, waar heel oude en zeldzame boeken werden bewaard, was een kast opengebroken. De inhoud lag over de hele keldervloer verspreid. De bibliothecaris, die wist wat er in de kast bewaard werd, kon gelukkig vertellen dat er niets verdwenen was. De inbreker had vast niet geweten dat er oude plattegronden en zeldzame boeken in de kast stonden. Hij zou er trouwens toch niets aan gehad hebben, want de inbreker was een hond. Dat kon niet anders. De enige sporen die de politie vond, waren pootafdrukken en er hing een overweldigende hondengeur in de kelder.
De journalist van de krant schreef er een lollig stukje over.
Reins pleegvader nam de gebeurtenissen bijzonder ernstig. Met de drie krantenknipsels voor zich, zat hij die avond stil aan de keukentafel. Hij had een afwezige blik in zijn ogen.
Rein speelde met het plasje gesmolten ijs in zijn kom. Hij dacht aan zijn vader en moeder, want hij miste

hen. Ze hadden op het laatst absoluut geen aandacht voor hem gehad. Het enige waar ze zich om hadden bekommerd, was hun bedrijfje. Ze waren lid geworden van een heksenkring omdat ze rijk wilden worden. Het had ze veranderd in gevoelloze monsters met een menselijk uiterlijk. Maar Rein miste hen, ondanks alles.

Hij wist dat ze in de macht van een demon waren gekomen. Ze waren slaven van de magie geworden. Zonder vrije wil, mensen met een ziel die al in de hel lag. En daar waren ze uiteindelijk zelf ook terechtgekomen. Verzwolgen door de aarde. In de hel...

Oom Steven had naar zijn gedachten geluisterd.

'Niets is voor eeuwig, Rein. Zelfs de zwarte magie van de duivel niet. Ooit zullen de kettingen waar hun ziel aan vastzit verroesten. Het kwaad wint wel de slag, maar nooit de oorlog.'

Hij zag Reins niet-begrijpende blik en legde uit: 'Wel de wedstrijd, maar nooit de competitie.'

Rein knikte. 'En als dat nou een keer wél gebeurt?'

'Tja...' Oom Steven keek weer naar de knipsels. 'Zet jij koffie?' vroeg hij.

Toen Rein met een mok zwarte koffie uit de keuken kwam, was meneer Witte verdwenen. Rein vond hem in de hal, bij de kandelaar. Er waren zes kaarsen gedoofd.

Het kristal in meneer Wittes hand was rood als een gloeiend kooltje.

'Ik vóelde hoe het gebeurde,' zei hij zonder om te kij-

ken. ‘Een kwaadaardige windvlaag was het. Koud, en hij rook naar... nou ja.’
Rein reikte hem de mok aan.
‘Laat de koffie maar,’ zei meneer Witte. ‘Sorry dat ik erom vroeg. We hebben iets belangrijkers te doen en jij moet me helpen. Ja?’
‘Oké,’ zei Rein.
‘We gaan proberen de kracht uit zijn tent te lokken.’

4. Zwarte magie

'Kwaad wil belangrijk zijn,' zei meneer Witte. 'Iedereen moet weten dat het er is. Kwaad is net zo'n bankrover die de bank een briefje schrijft om te zeggen dat híj de kluis heeft gekraakt.
Rein begreep niet helemaal waar zijn pleegvader naartoe wilde.
'Je kunt geld in een collectebus voor het goede doel stoppen. Niemand weet dan hoeveel je gegeven hebt. Maar dat hindert niet. Het gaat om het goede doel. Klopt dat?'
Rein knikte.
'Zoiets heet bescheidenheid,' zei oom Steven. 'Kwaad is niet bescheiden. Kwaad roept: "Ík was het. Ikke! En je krijgt me lekker nooit." Het wil gewoon lekker stout zijn. Wij gaan nu het ergste doen dat kwaad kan overkomen.'
'O,' zei Rein. 'We doen net of we het niet merken.'
Meneer Witte glimlachte. 'Nee, nog veel erger. We doen alsof we denken dat iets anders het kwaad is.'
'En dan?' Rein had er geen idee van wat zijn pleegvader van plan was. En eigenlijk wilde hij het niet weten. Hij had zijn buik vol van tovenarij, duivels, Het Kwaad of De Kracht. Het liefst ging hij de rest van zijn leven gewoon voetballen.
Oom Steven hoorde zijn gedachten deze keer niet.
Hij doofde de lichten en sloot de gordijnen.
Met een brede rol zwart plakband maakte hij een vijf-

puntige ster op de grond. 'Dit hoor je met krijt te doen,' zei hij intussen. 'In een ster van krijt ben je veilig. Maar het is te vaak gebeurd dat een krijtlijn per ongeluk werd uitgewist. Een stukje zo breed als een haar is al genoeg. De lijn is verbroken... weg bescherming.'
Toen hij klaar was, pakte hij Rein bij zijn schouders en zette hem in het midden van de ster.
'Wat er ook gebeurt, je blijft zitten. Afgesproken?'
'Oké,' zei Rein.
'Roerloos. Ja?'
'Ja.'
'Dit is eigenlijk zwarte magie. Daar kun je niet voorzichtig genoeg mee zijn.'
'Wat gaat er gebeuren?'
'In het kort dit: ik ga de verkeerde waarschuwen dat hij me niet moet uitdagen.'
Meneer Witte had op de punten van de ster kaarsen gezet en aangestoken.
'Wie daagt u dan uit?'
Meneer Witte strooide wat poeder over de kaarsen. De vlammen begonnen te spetteren als sterretjes.
'Weet ik nog niet,' zei hij. 'Nu even niks meer vragen.'
In zichzelf mompelend liep hij langs de vijf punten van de ster, strooide poeder en bulderde opeens iets in een vreemde taal.
De kaarsvlammen begonnen zuilen gekleurd vuur te spuiten. Een lucht van rotte eieren kwam aangewaaid op een vochtige, warme wind.
De vuurzuilen uit de kaarsen bogen zich naar het mid-

den van de ster, ergens boven Reins hoofd. Daar werden ze eerst een tollende bol, daarna een kantelende schijf die vaart verminderde en uiteindelijk stilstond. Rein keek met open mond naar de ronde plak vuur die eerst rood, daarna paars en ten slotte blauw werd. Strakblauw als een zomerse lucht.
Meneer Witte was naast hem komen zitten. Op zijn knieën, zijn handen gebald op zijn bovenbenen.
Samen keken ze naar de glasheldere zwevende schijf.
'Met de macht van het witte vuur beveel ik...,' begon meneer Witte, 'de klopgeest die mij lastigvalt...'
In de schijf bewoog iets. Een rimpeling als een druppel in een vijver.
Rein luisterde naar de waarschuwingen die zijn pleegvader de klopgeest gaf. Intussen gingen zijn gedachten hun eigen gang.
'De verkeerde waarschuwen,' had oom Steven gezegd. Een klopgeest had er dus niets mee te maken. Wat dan wel?
Het antwoord op zijn vraag kwam snel.
De rimpels in de schijf bevroren vuur gleden naar elkaar en vormden een afbeelding.
Terwijl oom Steven zijn stem verhief en de klopgeest dreigde met vreselijke straffen, verscheen er boven hun hoofd een gracht met bomen en oude, verzakte huizen.
Rein keek met open mond.
Het volgende ogenblik kwam er een enorme hondenkop in beeld. Vuilgele krullen, rode, valse ogen en een snuit waarin kromme tanden alle kanten uit stonden.

Langs het zwarte tandvlees droop groen slijm.
'Sukkel,' grauwde de hond. 'Sukkel, ik kom je halen. Ik scheur je aan flarden.'
Meneer Witte zweeg. Rein zag dat hij bleek om zijn neus was.
'Ik vreet je lever rauw uit je lijf, mislukkeling,' brulde de hond.
Het leek of hij uit de schijf naar voren kwam om zijn dreigement direct uit te voeren.
Rein dook weg.
Tegelijkertijd gooide meneer Witte een handje poeder omhoog.
De blauwe schijf spatte in een regen van vonken uit elkaar. De lucht van rotte eieren verdween en het hield op met tochten.
In de kandelaar vlamden de zevenenzeventig kaarsen op.

Meneer Witte pakte Rein bij zijn hand en trok hem overeind.
'We blijven nog even binnen de lijnen,' zei hij. 'Zie je dat je op het plakband bent gevallen? Als de lijn van krijt was geweest...'
Hij schudde zijn hoofd. Rein wilde zich verontschuldigen. Het hoefde niet. Zijn pleegvader keek naar de plek waar de schijf had gezweefd.
'Herkende jij die gracht?'
'Nee,' zei Rein.
'Ik wel, gelukkig. Het was de Bakenessergracht van een paar honderd jaar terug.'

Hij blies de kaarsen op de punten van de ster uit.
'Rein, we hebben de aanwijzing die we zochten. De Bakenes. Daar moeten we zijn.'
Toen ze het plakband hadden losgetrokken en weggegooid, verdween meneer Witte in de onmogelijk lange gang. Hij kwam terug met een kettinkje met een vijfpuntige ster in een cirkel.
Hij liep ermee naar de kandelaar en hield het in een van de kaarsvlammen. Het zilverkleurige metaal begon donkerrood op te gloeien en werd daarna blauw.
Meneer Witte mompelde iets, tikte tegen het hangertje en gaf het aan Rein.
'Voor het geval dát,' zei hij.
'Het geval wát?'
'Je gevoel zal je vertellen wanneer je het moet gebruiken.'
'Wat moet ik ermee doen dan?'
'Dat zul je ook weten, als het erop aankomt.'
Rein nam het kettinkje aan en wilde het in zijn broekzak steken.
'Nee,' zei zijn pleegvader. 'Nee, om je nek. En niet meer afdoen.'
'En de jongens op school dan? Die lachen zich suf.'
Meneer Witte maakte een snel handgebaar. 'Die jongens op school kunnen je kettinkje niet zien.'

Hij had gelijk. De volgende dag met gym zei niemand iets.

5. De slaapwandelaar

Een hond blaft in een donkere steeg. Er is geen enkele hond die hem antwoordt. Alsof alle honden van de stad weten dat dit geblaf niet voor hen bedoeld is. Het geblaf blijft hangen tussen de muren van de huizen. Het lijkt een bal van woedend gegrom. Een wandelaar die de steeg passeert, blijft staan en kijkt. Verbaasd dat hij de hond niet ziet, maar hem des te beter hoort. Hij gaat haastig verder. Zijn nekharen staan overeind.
En de hond blaft. Wolken komen van alle kanten aan en vormen een dreigende deken boven de Bakenessergracht. Het water weerspiegelt ze. Zwart, giftig. In het water worden opeens twee ogen zichtbaar, die aandachtig naar een verzakt middeleeuws huis kijken. Aandachtig, kwaadaardig. En als de hond achter zijn geblaf aan de steeg uit rent, komt er antwoord uit de inktzwarte wolken. Een stem als een bliksemflits, scherp, krakend, snijdend.
Een enorme regenbui barst lost. Water stort de gracht in, maar het kan de twee ogen niet uitwissen. De ogen kijken van de poedel aan de rand van de kade, naar het verzakte huis met grote groene luiken. De stem onweert, maar niemand kan hem verstaan door het kletteren van de regen. Niemand, behalve de poedel en een man die op zijn zolderkamer in zijn bed woelt.
Zweet druipt uit zijn haren. Hij klemt zich vast aan zijn laken, hij graait naar het hoofdeinde van het bed.

Hij wil niet opstaan, maar hij moet.
Zelfs in zijn slaap voelt hij de onmenselijke ogen die uit het water naar hem loeren. Wat de stem zegt, verstaat hij niet. Hij spreekt de taal van zwarte toverkunst nog niet, maar hij hoort hem wel. Hij hoort de stem net zo duidelijk als de poedel, die nu ook naar het verzakte huis met de luiken kijkt. De poedel heeft zijn bek met scherpe, kromme tanden half open. Een zwarte tong komt naar buiten.
De man op de zolder staat nu naast zijn bed. In zijn pyjama, met druipend haar, lijkt hij één brok ellende. Onwillig gaat hij naar de deur, de overloop op, de trap af.
In zijn werkkamer brandt een onstuimig vuur. De man knielt en kijkt in de vlammen. Er komt een gezicht uit het vuur naar voren. Een vlammende mond beweegt. Brandende woorden klinken in de kamer. De slaapwandelaar luistert ernaar en knikt gedwee dat hij zal doen wat hem gezegd wordt.
Het duivelse gezicht in de vlammen grijnst tevreden. Dan dooft het vuur. Buiten slaat de regen tegen de ramen.
De slaapwandelaar staat op en gaat naar een antieke kast in de andere hoek van de kamer, tegenover de haard. Hij doet de deuren open. De kast staat vol zwarte inktkaarsen. Naast elkaar, rij na rij, alle planken vol. Het zijn er zesenzestig. Hij begint ze aan te steken, terwijl de poedel bij de voordeur blaft dat hij naar binnen wil.

6. Op Bakenes

Rein werd midden in de nacht wakker van oom Stevens haastige voetstappen.
De slaapmist in zijn hoofd trok razendsnel op. Er was iets aan de hand. Hij vóelde het.
Hij glipte zijn bed uit en liep de gang in, die eindeloos lang leek. Een gang dwars door wel vijf huizen.
Oom Steven, gekleed in zijn glimmende kamerjas, stond in de hal. Er brandden nog maar twee van de zevenenzeventig kaarsen in de kandelaar.
'Kijk,' zei hij.
Rein keek. 'De kaarsen voor mijn vader en moeder...' zei hij verbaasd.
'Ja. Die branden nog.' Meneer Witte draaide zich om, nam een lange trek van zijn sigaret en bekeek Rein bezorgd. 'Rein, ik heb je niets verteld, de afgelopen dagen. Ik wou je er niet mee lastigvallen.'
'Die stukjes in de krant, bedoelt u?'
'Ja, precies. Wat er met de kaarsen gebeurde, was niet jouw zaak. Maar nu opeens wel. Omdat alleen de twee kaarsen van je ouders nog branden. Ik weet niet wat er aan de hand is, maar blijkbaar heb jij ermee te maken.'
Rein keek hem vragend aan. Hij voelde de slaap opeens als een blok op zijn hoofd liggen.
'Morgen,' zei zijn pleegvader. 'Jij moet nu terug naar bed. Maak je geen zorgen om de kandelaar. Ik zal ervoor zorgen dat de kaarsen niet meer uitgaan. Nu ik

weet waardoor ze gedoofd worden, kan ik er iets tegen doen.'
Rein ging terug naar zijn slaapkamer. De gang was aangenaam kort.
Hij sliep al weer toen zijn hoofd het kussen raakte.
In zijn droom gromde een hond. Langzaam veranderde het venijnige gegrauw in de stem van zijn vader, die iets zei dat hij niet kon verstaan, maar het klonk smekend.

'In dromen is alles mogelijk,' zei meneer Witte de volgende ochtend. 'Dromen kunnen betekenissen hebben die je pas veel later begrijpt. De droom over je vader heeft met de kaarsen te maken, denk ik. We komen er misschien achter wat hij betekent. Áls hij iets betekent.'
Rein speelde met zijn brood. Hij had op een beter antwoord gehoopt. Zijn vaders stem zong nog steeds door zijn hoofd. Die smekende klank... die ongelukkige toon...
'Ga je vanmiddag na school mee naar de Bakenes?' vroeg oom Steven.
'Tuurlijk,' zei Rein.

De Bakenessergracht baadde in het zonlicht. Oude huizen, stoepjes, trappetjes, ramen die vriendelijk blikkerden in suffende geveltjes.
Je voelde dat het hier oud en vriendelijk was, met veel vergeten dromen.
Een groepje kinderen liep een stadswandeling met

een boekje in de hand. Ze staarden naar gevels en riepen enthousiast als ze een beschrijving uit hun boek herkenden.
Rein en zijn pleegvader keken verder dan mooie gevels met mooie gevelstenen. Waarnaar precies, dat wisten ze niet, maar hun ogen probeerden door de stenen heen te gaan.
Meneer Witte haalde een tekening uit zijn binnenzak en vouwde hem open. Het was een oude tekening van de gracht.
'Kijk,' zei hij. 'Toen we in de ster zaten, zagen we die hond op deze gracht staan. Voor een huisje met een hoge puntgevel. Het was niet de Bakenessergracht van tegenwoordig. De hond heeft ons in het verleden laten kijken. Dat huisje is ongetwijfeld al lang gesloopt, net als veel andere huizen. Deze prent is tweehonderd jaar oud. Herken jij er iets van? Zie jij iets wat we in de ster ook gezien hebben?'
Rein bekeek de prent, keek de gracht rond en wees. 'Dat huis daar.'
Meneer Witte volgde zijn blik en zei toen verbaasd: 'Je hebt gelijk. Prima. Mijn plan heeft dus gewerkt. Die hond - of wat het ook is - gaf ons in zijn woede een aanwijzing. Dat is een fout die ons veel kan opleveren.'
'Ik snap het niet, geloof ik,' zei Rein.
'Dat komt nog wel.'
'Mag ik dichterbij gaan kijken?' vroeg Rein, die het vreemd en spannend tegelijk vond.
Het huis stond op de hoek van een steeg. Het was

schots en scheef, verzakt, met grote luiken voor de hoge, halfronde ramen.
Het leek een bouwval, maar toen ze dichterbij kwamen, zagen ze dat het huis goed was verbouwd en onderhouden. Een bordje op de gevel vertelde dat het een monument was, een bijzonder gebouw in de stad. Naast de kleine, scheve voordeur hingen vijf bellen.
'Hier wonen geen arme mensen,' zei meneer Witte. 'Een monument aan de mooiste gracht van de stad... Dit huis is volgens het bordje ruim driehonderd jaar oud. Het heeft een hele geschiedenis binnen zijn muren.'
Hij tastte in zijn jaszak. Er kwam een bosje planten te voorschijn. Het was strak in elkaar gevlochten, met in het midden een stukje zwart kristal.
'Wat is dat?' vroeg Rein.
'Dit brokje glas is obsidiaan. Vulkanen spugen het omhoog uit het hart van de aarde. Het is een waarheidssteen. Ik heb er een paar planten omheen gevlochten die allemaal hun eigen kracht hebben. Dit is een... een leugendetector, zeg maar.'
Hij bukte, pulkte wat aarde weg tussen de stoepsteentjes en legde het vlechtwerkje erin.
'Zo. Dit laten we een poosje liggen. En dan gaan we nu naar de stadsbibliotheek.'
'Wat moeten we daar nou?'
'De geschiedenis van de Bakenes uitpluizen. Het zou me niet verbazen als we interessante dingen ontdekten.'
'Kunnen we dat niet in het stadsarchief doen? Ik moet nog boeken terugbrengen. Als Erwin me ziet...'

‘Erwin?’
‘De jeugdbibliothecaris.’
‘Kom op, Rein. Je denkt toch niet dat ze aan je gezicht kunnen zien of je boeken te lang thuis hebt?’
Ze liepen naar de hoek van de gracht en keken tegelijk om, alsof iemand hen op de schouders had getikt.
De gracht lag nog steeds in het zonlicht, maar de suffende vriendelijkheid was verdwenen. Het leek of de huizen wakker waren geschud en zich opeens herinnerden dat ze waakzaam moesten zijn en hun bewoners beschermen voor een dreigend gevaar. Een onzichtbare hond blafte fel en scherp.
Meneer Witte keek Rein bezorgd aan.
‘Ik geloof dat we iets hebben losgemaakt,’ zei hij. ‘Ik hoop dat we het weer kunnen vastmaken...’

7. Verdwenen documenten

De stadsbibliotheek was een betonnen blokkendoos midden in de oude binnenstad. Een middeleeuwse poort door, dan een binnenplaats over alsof je een tijdreis maakte: van kleine oude stenen en smalle ramen, naar wanden van beton en glas.
Uit gewoonte liep Rein linksaf naar de jeugdbieb. De jeugdbibliothecaris zat achter zijn computer. Meestal zei hij Rein hartelijk goedendag, want ze maakten vaak een kletspraatje, maar vandaag staarde hij met roodomrande ogen voor zich uit.
Die is ziek, of hij heeft niet geslapen, dacht Rein. Hij wilde iets tegen zijn pleegvader zeggen, maar die stond bij de uitleenbalie en keek hem vragend aan.
Rein grinnikte toen hij besefte dat ze tussen de kinderboeken niets over het huis op de Bakenessergracht zouden vinden.
Hij liep terug naar meneer Witte.
'Macht der gewoonte?' vroeg zijn pleegvader. 'We moeten de kelder in, waar de echt bijzondere boeken staan. Er is al iemand op weg om de sleutel te halen.'
Een vrouw met vlammend rood haar kwam hinkend op hen af. Ze keek even naar Rein en zei: 'Het is allemaal een beetje ingewikkeld, op dit moment.'
'Vanwege die inbraak natuurlijk,' zei meneer Witte. 'Ik kan me voorstellen dat u erbij moet blijven, als ik wil zoeken.'
'Nou, nee, het is nog erger, u mag niet naar de kelder.'

Meneer Witte had opeens een horloge in zijn hand, dat hij heen en weer bewoog in het zonlicht. De bibliothecaresse keek ernaar en kon haar ogen er niet meer van afhouden.
'Wíj mogen de kelder toch wel in?' zei meneer Witte dwingend. 'Als u erbij blijft?'
'Natuurlijk wel,' zei de bibliothecaresse. 'U bent te vertrouwen.'
Nog steeds met haar ogen op het horloge bracht ze hen naar een deur. Ze liepen een overloop op en een keldertrap af.
'Dit is tegen de regels,' zei meneer Witte tegen Rein. 'Je mag iemand nooit dwingen, maar tja...'

Het eerste wat ze roken toen de kelderdeur openging, was hond. Alsof ze een asiel binnenliepen, zó sterk rook het.
De boeken stonden in ouderwetse kasten en stellingen. Sommige waren achter glas verborgen, andere achter stevige metalen deuren.
Meneer Witte liet de bibliothecaresse de prent van de Bakenes zien. 'Dit huis,' zei hij, 'is daar meer over te vinden dan in de boeken boven?'
'Het pakhuis bij de Passerpoort,' zei de bibliothecaresse. 'Dan moeten we in deze kast zijn.'
Ze pakte een sleutelring en liep naar een grijze, stalen kast. Rein en meneer Witte volgden haar.
De hondenlucht werd sterker. Hij golfde over hen heen toen de kastdeur openging. Rein moest ervan kokhalzen. Zijn pleegvader slikte een paar keer.

'De inbraak,' zei de bibliothecaresse. 'Die stank is niet weg te krijgen. Even zien. De catalogus is stukgegaan bij de inbraak, maar alle blaadjes zijn er nog.'
Ze pakte een dun boekje, dat duidelijk aangevreten was door scherpe tanden.
'Ja, hier. Het verslag van de schout van Haarlem. Hij hield een uitgebreid dagboek bij. Een soort journaal dat later is uitgegeven. Dat moet zijn... nummer...' Ze zocht tussen de oude, vergeelde boeken.
'Hé vreemd,' mompelde ze, terwijl haar vingers langs de ruggen gingen. 'Erwin zei dat er niets verdwenen was bij de inbraak. Maar het boek staat er niet meer. Het wordt niet uitgeleend, dus...'
Ze zocht verder, maar vond het boek niet.
'Het spijt me. Misschien is het naar de binderij omdat het is beschadigd bij de inbraak.'
Meneer Witte, die de catalogus had gepakt, knikte nadenkend. 'En dit boek met plattegronden uit 1600? Daar moeten toch ook plattegronden van de Bakenessergracht in staan?'
De bibliothecaresse knikte en trok een boek van de plank. 'Dat moet dit zijn.'
Meneer Witte bladerde, bladerde terug en stopte bij een rafelige reep papier, waar een bladzijde uit de band was gerukt.
'De bladzijde die ik zocht,' zei hij tegen Rein, 'is weg. Ik geloof dat wij het raadsel van de honden-inbraak hebben opgelost.'
Toen ze weer boven waren, verloste meneer Witte de bibliothecaresse uit haar hypnose. 'Bedankt voor al

uw hulp,' zei hij. 'U bent alles vergeten. De pijn in uw been is weg en u voelt zich heerlijk uitgerust.'
De bibliothecaresse trok even met haar mond. Toen, een beetje verbaasd, zei ze: 'Jammer dat ik u niet mag helpen.' Tegelijkertijd legde ze haar hand op haar bovenbeen. Een enorme opluchting gleed over haar gezicht. Ze liep weg als een danseres.
Rein en zijn pleegvader keken haar glimlachend na.
'Eén raadsel is opgelost, maar er zijn nieuwe voor in de plaats gekomen,' zei meneer Witte. 'De hond heeft sporen willen uitwissen. Ik vraag me af welke dat zijn.'
'Daar komen we natuurlijk nooit meer achter,' zei Rein. 'En welk raadsel is er nu opgelost?'
'Dat kan ik je binnenkort vertellen. Ik moet nog wat dingen natrekken.'
Rein keek naar de jeugdafdeling, waar de bibliothecaris moedeloos met een boek sjokte.
'Erwin,' zei hij. 'Zo heet de jeugdbibliothecaris ook. Da's een hartstikke aardige man. Hij helpt altijd met boeken uitzoeken en hij weet precies wat ik leuk vind.'
Terwijl hij het zei, herinnerde Rein zich dat hij hoognodig boeken moest inleveren.
Meneer Witte volgde Reins blik. 'Ongezond type. Boekenwurm, zo te zien. Daar word je een bleekneusje van. Ik zou die knul eens onder behandeling moeten nemen. Een paar kruidendrankjes en hij voelt zich veel beter.'

Op weg naar huis reden ze langs de Bakenessergracht. Terwijl Rein in de auto wachtte, liep zijn pleegvader naar het scheve huis.

Met een bewolkt gezicht stapte hij even later weer achter het stuur.

‘En?’ vroeg Rein.

‘Niet goed. Helemaal niet goed.’ Hij opende zijn hand. Het vlechtwerkje van kruiden was verschrompeld en bruin. De obsidiaan was van diepzwart verkleurd naar vuilgeel. Giftig geel.

8. Gezichten van vuur

Meneer Witte zat al sinds het avondeten in zijn werkkamer, ergens in het huis. Rein had zijn play-station op schoot. Hij speelde er niet mee. Zijn gedachten waren overal, behalve bij het spelletje.
Hij betrapte zich er voortdurend op, dat hij naar de vlammen in de kandelaar keek. Zijn blik werd soms vaag, alsof hij zijn ogen niet scherp kon stellen. Dan werden de kaarsvlammen een grote bol met vage, roodgele vlekken, en schaduwen die vanuit zijn ooghoeken dichterbij gleden. De schaduwen die langs de rand van de bol kaarslicht dreven werden de ene keer rafelige figuurtjes, dan weer kaatsende balletjes. De balletjes wonnen het van de rafels. Ze stuiterden door het kaarslicht. Ze schoten van links naar rechts en draaiden af en toe baantjes.
Twee cirkels bleven in het midden van Reins beeld hangen. Langzaam veranderden ze van vorm, tot ze iets weg kregen van een gezicht. Vaag en ongrijpbaar, zoals gezichten die je in wolken kunt ontdekken.
Rein knipperde met zijn ogen en probeerde weer een scherp beeld te krijgen. Dat lukte, maar de gezichten bleven. Ze hingen in de vlammen van twee kaarsjes boven in de kandelaar.
Rein kwam overeind. Hij wreef in zijn ogen en deed een stap naar het midden van de hal. De gezichten waren er nog steeds. Ze hadden zelfs iets herkenbaars gekregen.

Rein voelde zijn mond openzakken. Hij zag hoe de gezichten steeds meer model kregen. Bij iedere stap dichter bij de kandelaar, werden ze duidelijker.
Vanuit het hart van twee vlammen keken zijn vader en moeder hem aan.
Rein voelde zijn mond droog worden. Zijn handen, die hij ongemerkt tot vuisten gebald had, waren klam. De adem bleef in zijn keel hangen tot hij van benauwdheid wel verder moest ademen.
De gezichten draaiden rond als herfstbladeren op de wind, maar plotseling, alsof er een bevel werd gegeven, stonden ze stil en keken Rein recht aan.
Zo klein als ze waren, niet groter dan een duimnagel, ze *keken*.
Zijn ouders zagen er anders uit dan hij zich herinnerde. De harde trekken op hun gezichten waren verdwenen. De verbeten mond was weg. Hun naaldkleine ogen keken zo oneindig droef dat Rein tranen voelde. Dit waren zijn vader en moeder van vóór de heksen. Voor de tijd dat ze met behulp van zwarte magie rijk wilden worden.
Door een waas van tranen zag hij de gezichten in het vuur. De vlammen werden weer een grote bol en hij knipperde haastig, bang dat de gezichten zouden verdwijnen.
Ze waren er nog toen hij de tranen had weggeknipperd. Een stem die hij meer in zijn hoofd hoorde dan met zijn oren, zei: ‘Rein?’
‘Ja,’ antwoordde hij hees.
‘Kun je ons vergeven, Rein?’

Het was zijn vader. Rein besefte nu pas dat hij al was vergeten hoe de stem van zijn vader geklonken had.
'Ja, pap,' zei hij.
'Echt vergeven, Rein? Kun je ons écht vergeven?'
De stem van zijn moeder klonk nu ook: 'Het zal je moeite kosten. Dat begrijpen we. Je zult ons niet zomaar vergeven. Wij zullen laten zien dat we berouw hebben.'
'Alleen met jouw hulp kunnen we hier weg, Rein,' zei zijn vader.
Er stak wind op. Rein wist niet of hij het alleen in zijn hoofd voelde waaien.
De stem van zijn moeder werd er bijna door overstemd. 'Rein, wacht op de kern van de poedel!'
Toen voelde hij de wind langs zijn enkels gaan.
De vlammen in de kandelaar begonnen woest te wapperen. Ergens klapperde een deur. Een ruit ging rinkelend aan stukken.
Rein stond roerloos, verstijfd, bij de kandelaar, terwijl de wind de ene na de andere kaars doofde.
Hij merkte niet dat meneer Witte in zijn lange kamerjas de hal binnenkwam en de wind met een gebiedend gebaar tot liggen dwong. Hij zag niet hoe de kaarsen weer aangingen. Zonder dat er vuur aan te pas kwam, alleen maar met een wijzende vinger van meneer Witte.
Pas toen alles weer gewoon was en zijn pleegvader hem met zachte hand naar de bank leidde, kwam hij bij.

'De kern van de poedel,' herhaalde meneer Witte. Hij stak zijn vijfde filtersigaret op. Hij had al heel wat as

gemorst, maar zijn spierwitte kamerjas bleef schoon.
'Las je moeder veel?'
Rein keek hem verbaasd aan. Wat was dat voor rare vraag? Hij had zijn ouders gezien in de kaarsvlammen! Ze waren dus nog niet voorgoed verdwenen. Wel verslonden door de poort van de hel, maar nog niet dood. Waarom was oom Steven daar absoluut niet van onder de indruk? Wat maakte het uit of zijn moeder lás?
'Ze las de Margriet,' zei hij.
Meneer Witte stond op. 'Kom eens mee naar de bibliotheek?'
Ze liepen de gang in die zich voor Reins gevoel nog verder uitstrekte dan anders.
Voor een deur die hij nog nooit had gezien - een felgele met een gouden ster, zo'n deur zag je niet over het hoofd - bleef oom Steven staan. Hij diepte een sleutel op uit zijn kamerjas en ging Rein voor de kamer in.
Boeken, niets dan boeken. Dat was Reins eerste indruk. De planken aan de wanden puilden uit van de boeken.
Midden in de kamer stond een tweezitsbank. Het was zo'n beetje de enige plek waar niets lag, op een dun boekje na.
Meneer Witte wees naar de bank. Rein ging zitten.
'Wacht even, dan zoek ik een boek op.'
Rein bekeek de kamer. Hij had zich altijd al afgevraagd waar oom Steven zijn boeken bewaarde. Hier dus. Achter een deur die je pas kon zien als meneer Witte dat goedvond. Zijn ogen gleden naar het boekje

naast hem. Het was oud, met geel papier en verkleurde letters. Letters die zo kriebelig waren, dat Rein er niets van kon lezen. Hij boog zich een beetje opzij. Wat stond er nou op de eerste regels?
De imp zal zijn meester die zijn slaaf is, nooit alleen laten. Tot voorbij het graf waakt hij over hem. Door eeuwen en eeuwen heen zal hij er zijn als zijn meester opstaat om hem weer tot slaaf te maken. Er zal...
'Rein!'
Geschrokken keek Rein op.
'Dat was niet voor jouw ogen bedoeld!' Bezorgd pakte meneer Witte het boek van de bank. Hij liet zijn ogen over de pagina's gaan.
'Wat is een imp? En hoe is een slaaf een meester? Of andersom?'
'Ik zal het je allemaal vertellen,' zei zijn pleegvader. Hij liet Rein het boek zien dat hij van een plank had gepakt.
'Ik weet er ook het fijne nog niet van. Dit is een heel rare puzzel, die we moeten oplossen.'
Hij glimlachte ernstig.
'En jij hebt ermee te maken. Ik weet alleen niet hoe of waarom.'

9. Faust

Ze zaten op de bank, meneer Witte met een boek in een rood kaft op zijn schoot.

'Dit is een wereldberoemd boek van een wereldberoemde Duitse schrijver. Tegen de tijd dat je op de middelbare school zit, zul je wel meer over hem horen. Hij heette Goethe. Dit boek is het verhaal van Faust. Faust was een geleerde die zijn ziel aan de duivel verkocht in ruil voor alle kennis ter wereld.

Op een kwaad moment komt de duivel bij hem op bezoek, vermomd als een witte hond, een poedel. Als de duivel zijn ware gedaante aanneemt, zegt Faust: "Aha, dus dat is de kern van de poedel." In het Duits is die zin een gezegde geworden.'

'En wat betekent dat dan?' vroeg Rein.

'Hetzelfde als: nu komt de aap uit de mouw.'

'O. Enne, kómt de aap uit de mouw?'

Zijn pleegvader keek hem even verbaasd aan. 'Ja, natuurlijk. Dat heb je nu toch wel begrepen?'

Rein schudde zijn hoofd en voelde zich hopeloos.

'Je ouders hebben je gewaarschuwd voor de kern van de poedel. Voor de duivel in vermomming dus.'

'Ja?...'

'Die hond die inbreekt in de stadsbibliotheek is een poedel, Rein.'

'Is dat dan dus de duivel?' zei Rein. Hij kon het ongeloof niet uit zijn stem houden. 'Een duivel, net als de blinde engerd die mijn ouders in de val heeft gelokt?'

'Dat was een onderduivel, een demon. In het boek is het de duivel zelf die bij Faust komt.'
Meneer Witte sloeg het boek dicht en stond op. 'Ik denk niet dat die poedel een belangrijke duivel is. Hij laat zich te snel uit zijn tent lokken. Maar dat wil niet zeggen dat het niet gevaarlijk is, wat er gebeurt. Je hebt gezien wat er op de Bakenes gebeurde. Hoe de huizen wakker leken te worden en hoe het obsidiaan verkleurd is. Er is dus wél een boek uit de bibliotheek gestolen. Gelukkig weet ik welk boek dat is. De gedachten van mensen onder hypnose zijn erg makkelijk te lezen. Vreemd trouwens dat die Erwin beweerde dat er niets weg was.'
'En er is een bladzijde uit dat bibliotheekboek gescheurd...,' hielp Rein herinneren. 'Wat moet een duivel nou met een bladzijde uit een boek?'
'Iets verbergen,' zei meneer Witte. 'Maar gelukkig zijn er meer mensen met oude boeken. Ik denk dat ik weet waar ik moet zijn om dat boek in handen te krijgen. Je vindt het toch niet erg dat ik vanavond een paar uur weg ben?'
Rein schudde zijn hoofd. Hij was het wel gewend om alleen thuis te zijn.
Terwijl ze naar de hal liepen, zei zijn pleegvader: 'Als je vanavond weer iets ziet in de vlammen, haal dan je hangertje eens te voorschijn.'
'Is dat het moment dat ik het moet gebruiken? Als ik mijn ouders weer zie?'
'Nee, niet per se, maar ik ben benieuwd wat er gebeurt als je het doet.'

Zijn ouders verschenen die avond niet. Er gingen ook geen kaarsen uit. Het was een doodgewone doordeweekse avond.
Rein speelde op zijn play-station, maar hij schoot nauwelijks op. Hij kon zijn gedachten er niet bij houden. Het leek of hij overal hondengeblaf hoorde en het krabbelen van poten aan de deur.

10. De slaapwandelaar

Regen klettert op de scheve daken van de oude binnenstad. Vogels verbergen zich in kieren van muren en onder goten. De bomen zwiepen in de jachtende windvlagen. Op de zolder lekt het. Een dakpan is verschoven. Traag vallen druppels vlak naast het hoofd van de slapende man. Hij merkt het niet. Zijn droom houdt hem in zijn ban. Hij mompelt, draait met zijn hoofd, schudt met armen en benen. Af en toe komt er een zwak protest over zijn lippen. Geen woorden, alleen maar klanken van onwil en angst.

Opeens begint het lichaam van de slapende man heftig te schokken. Alsof het bed een trampoline is, alsof het hele huis door elkaar geschud wordt.

De man kreunt lang en klagerig, komt dan overeind en stapt uit bed. Aan het voeteneinde blijft een bobbel liggen, die in beweging komt als de man naar de deur loopt. Een vuilwitte poedel met tanden die scheef uit zijn bek steken glipt onder de dekens uit, trippelt de overloop op, de trap af. Hij gaat met de man mee de kamer in, waar in de open haard een vuur loeit. Het beest gaat voor het vuur liggen en kijkt hoe de slaapwandelaar zwarte kaarsen aansteekt. Zevenenzeventig zwarte kaarsen.

In twee ervan verschijnt een gezicht, zo groot als een pinknagel. Een man en een vrouw zijn het. Ze luisteren aandachtig naar de spreuken van de slaapwandelaar.

Buiten, op de verlaten gracht, is het windstil geworden. De regen is gestopt. Het lijkt of de nacht zijn adem inhoudt.

In de hal van zijn huis zit Steven Witte op de bank. Hij rookt lange filtersigaretten terwijl hij een oud boek leest dat hij heeft geleend. Hij morst voortdurend as, maar hij merkt het niet en zijn kamerjas blijft schoon.
Als de wind opeens gaat liggen en het kletteren van de regen ophoudt, kijkt hij bezorgd naar de kaarsen. Verwacht hij ook gezichten te zien in de vlammen?
Er gebeurt niets, maar een plotselinge kou trekt door de hal. Een kou die je bijna vast kunt pakken.

11. De poedel spreekt

Rein was met een groepje jongens uit de klas aan het balletjetrappen bij de bosjes achter de fietsenstalling. Ze oefenden hattricks.
De school was al een uur dicht. Behalve Rein en zijn vrienden, was er niemand meer op het plein.
Een prachtig schot van een van de jongens liet de bal met een gemene bocht langs de binnenkant van de doelpaal tollen en daarna tussen de stekelige takken van de struiken verdwijnen.
Er werd bewonderend gefloten en gejuicht en daarna begon de discussie over wie de bal moest terughalen. De schutter, of de keeper die hem had doorgelaten.
'Ik ga wel,' zei Rein. 'Ik ben het lenigst van jullie allemaal.'
'Dat mocht je willen!'
'Een stijve lat, dat ben je!'
Maar niemand had bezwaar.
Rein dook op zijn knieën en tijgerend ging hij onder de laagste takken van de struiken door.
De bal lag verder dan hij gehoopt had, in een kuil aan de voet van de stekeligste struik.
Er ritselde iets achter hem. Met een grijns keek Rein om, omdat hij een van zijn vriendjes verwachtte. De spieren om zijn mond verstijfden onmiddellijk.
Een vuilwitte poedel met een slordige vacht en priemende rode ogen keek hem aan. Uit zijn bek stak een scheve rij onregelmatige, maar scherpe tanden.

Rein wist direct dat dit de poedel uit de krant was. Als hij al aan oom Stevens verhaal getwijfeld had, geloofde hij het nu helemaal. Er lag een duivelse glans in de rode ogen. Een blik die niet dierlijk was en niet menselijk, nee, juist onmenselijk.
De poedel ontblootte zijn tanden. Zijn korte poten kromden zich, klaar voor een sprong.
Rein voelde hoe zijn armen begonnen te trillen. De onhandige houding waarin hij lag bezorgde hem nekpijn. Hij durfde zich niet te verroeren. Hij kón zich misschien niet verroeren. Weerloos voor de kaken van de poedel, wachtte hij op de aanval.
Maar die kwam niet.
De poedel geeuwde. Rein zag een zwarte tong. Toen begon de hond te praten.
'Ze missen je erg, Rein.'
Het was zo idioot om een hond met een menselijke stem te horen praten, dat Rein zich er niet eens over verbaasde.
'Mis jij ze ook? Ik geloof het wel, hè?'
Rein gaf geen antwoord. Hij wist natuurlijk waar de hond het over had.
'Verloren zijn ze, Rein. Voorgoed verloren. En dat is jouw schuld.' De laatste woorden waren een hondse grauw. 'Jij hebt hen het vuur in gejaagd.'
Rein durfde zich nog steeds niet te bewegen. Hij maakte een roerloos knikje met zijn hoofd.
'Harteloos kreng,' zei de hond. 'Ik zou je aan flarden moeten scheuren. Maar ik vind het veel leuker als je de rest van je leven aan je ouders moet denken. Aan

die twee zielen die voorgoed in het vuur moeten branden. Dát is pas een straf voor je harteloosheid.'
Ergens ver weg riep iemand: 'Hé, Rein! Heb je die bal nou al?'
Rein hoorde het niet. Hij keek naar de poedel.
Het beest gaapte. Een zwart verhemelte in een bek vol scheve tanden.
'We gaan keet trappen, jongetje dat zo van licht houdt,' zei de poedel gapend. 'We gaan voor een storm zorgen die álle kaarsen dooft. Maak je borst maar nat.'
'Hé Rein!' Gezwiep van takken in de verte, voetstappen die dichterbij kwamen. De jongens zochten hem.
De poedel blafte één keer, rauw en spottend. Hij was verdwenen op het moment dat de eerste jongen Rein bereikt had.
'Wat lig je daar nou, man?'
'Kramp,' zei Rein. Hij graaide naar de bal.
'Nou zitten wij tóch onder de schrammen.'
'Jij bent lekker, hoor. De lenigste van ons allemaal, beweert ie! Ik zei toch dat je zo stijf was als een lat?'
Rein glimlachte ongemakkelijk.
Van voetballen kwam niets meer, laat staan van hattricks. Een halfuurtje later ging iedereen naar huis.

Oom Steven was er niet toen Rein thuiskwam. In de hal keek hij naar de kandelaar, terwijl het gesprek met de poedel als een cd'tje op de herhaalstand in zijn hoofd draaide.
De kaarsen in de kandelaar hielden zijn ouders gevan-

gen achter de poorten van de hel.

Het klopte, natuurlijk klopte het. Meneer Wittes kaarsen brandden om alles tegen te houden wat kwaad was. Ze hielden de koperen poortdeuren van de onderwereld dicht. Zo hielden ze zijn vader en moeder tegen.

Er kwamen herinneringen boven die hij lang had weggestopt. Zijn vader die spottend had gelachen toen hij hun smeekte om niet met de heksen van het zwarte licht mee te gaan. Zijn ouders die hadden geprobeerd om hém, zonder dat hij het zelf wist, lid van de heksenkring te maken.

Verdienden ze iets beters dan de straf die ze hadden gekregen?

Maar het vagevuur was er om zielen schoon te branden. Misschien waren zijn ouders intussen schoon. Was het kwaad uit hen verdwenen en konden ze terugkomen om weer zijn vader en moeder te zijn.

Rein boog zich naar de twee kaarsen waarin hij zijn ouders gezien had. Ze brandden kalm.

12. Het huis op Bakenes

Toen oom Steven thuiskwam, probeerde Rein in de keuken aardappelen te schillen. Een pannetje geschrapte wortelen was al klaar.
'Je hebt er prachtige lucifers van gemaakt,' zei oom Steven met een blik in de pan. 'Zal ik de aardappelen doen?'
'Graag. Er is iets gebeurd, vanmiddag. Ik ben de poedel tegengekomen.'
Zijn pleegvader wierp hem een bezorgde blik toe.
'Maar het hangertje heb ik niet nodig gehad.'
'Dat valt dan weer mee. Vertel eens?'
Rein vertelde terwijl meneer Witte de rest van het eten klaarmaakte. Het stuk over zijn ouders liet hij zorgvuldig weg.
'Het past allemaal in het plaatje,' zei meneer Witte toen Rein klaar was. 'Ik weet alleen nog steeds niet precies wat er op het plaatje staat.'
Hij legde blinde vinken in de koekenpan.
'Na het eten zal ik je iets laten zien.'

Ze zaten aan de eettafel, met de vuile vaat opgestapeld voor hen. Oom Steven had een oud boek uit zijn bibliotheek gehaald. Hij legde het voorzichtig op tafel en sloeg het open.
Op een pentekening was een gracht te zien. De Bakenessergracht, zag Rein, toen hij de prent beter bekeek. De Bakenes, ter hoogte van het scheve pakhuis.

‘Daar hebt u toch dat obsidiaan neergelegd?’
Meneer Witte knikte.
‘De inbraak in de bibliotheek ging om dít boek. Het ging om dit boek, om deze bladzijden. En natuurlijk om de stadskaart die uit dat andere boek is gescheurd.’
Rein keek hem met een scheve grijns aan. ‘De inbreker was een hond. Wat moet die met een boek?’
‘De inbreker was de poedel die jij vanmiddag gezien hebt. Weet je het nog... de kern van de poedel?’
Rein knikte. Hij zag de rode ogen en de scheve tanden van het dier weer duidelijk voor zich.
‘In dit boek staat het verslag van een gebeurtenis waar de Haarlemmers het liever niet over hadden. Het is een verslag van de schout van Haarlem. Hij schreef zijn herinneringen op als een afscheidscadeau toen hij ophield met zijn werk.
Ik heb dit boek van een kennis geleend. Hij wist me te vertellen dat er nog maar twee exemplaren van over zijn. Nu is er nog maar een, ben ik bang: dit exemplaar. Ik zal je een stukje voorlezen. In mijn eigen woorden, anders is er geen touw aan vast te knopen. Dit gaat over een woedende menigte die denkt dat er een tovenaar aan de Bakenes woont. De mensen willen hem onschadelijk maken en dat doe je...’
‘Met vuur,’ zei Rein. ‘Net als u.’
Oom Steven knikte. ‘Ze schaamden zich er later geweldig voor. De Haarlemmers vonden zichzelf erg modern en in tovenaars geloven was iets voor kinderen. Maar goed, luister.

Op de dag van Sint Jan 1593 kwamen de Haarlemmers op de Bakenes bij elkaar. Er was in de kroegen en herbergen lang gepraat over wat er moest gebeuren. Alleen de dappersten durfden naar het huis van Jerrit Folkertz. Ze gingen op klaarlichte dag, maar toen ze op de gracht aankwamen, leek de zon zich te verbergen. Het werd schemerig en daarna donker. Een paar mannen hadden fakkels bij zich. Die hoorden bij het plan. Zelfs de toortsvlammen konden het huis waar de tovenaar woonde, niet verlichten. De ramen bleven donker, de deur was niet te zien. Eén dappere, Simon Simonszoon van de Burgwal, daagde de tovenaar uit om naar buiten te komen. Hij mocht zich nog verantwoorden voor zijn daden. Simonszoon las een lange lijst voor. Vee dat ziek was geworden, vrouwen die geen kinderen meer kregen, mensen die vervloekt waren. Hun zielen zouden nooit meer rust vinden. Het was een lange lijst.
Toen Simonszoon uitgesproken was, stond er plotseling een hond voor het huis. De tovenaar had zich laf verscholen en zijn huisdier op de menigte afgestuurd. De meeste mensen kenden het dier, een vals mormel. Sommige mensen beweerden dat het beest kon praten en de vreselijkste geheimen verklapte. Het leek wel of de tovenaar en zijn hond alles wisten wat mensen liever verborgen hielden.
Het beest blafte vreselijk en viel aan, happend en grauwend, maar de menigte liet zich niet afschrikken. Toen vluchtte het dier naar binnen.'

Oom Steven keek op van het boek. 'Het verslag gaat nog een eind verder, en dan wordt het weer spannend. Luister maar.

Het huis werd omsingeld. De rij mannen drong naar voren. Hun fakkels flakkerden in een wind die plotseling opstak, alsof de tovenaar zo probeerde het vuur te doven. Ze vonden de voordeur na lang zoeken en trapten hem in. Mannen brulden naar de tovenaar dat hij zich moest vertonen. Dat gebeurde niet en niemand, zelfs de meest godvrezende dapperen niet, durfde het huis in. Op bevel van Simon Simonszoon werden de fakkels naar binnen gesmeten.

De mannen buiten wierpen vuur op het dak. Het duurde niet lang voordat het huis vlam vatte. Met knuppels en dolken stonden de mannen bij de deur en de ramen van het huis. Klaar om te steken als de tovenaar naar buiten kwam.

Al snel brandde het huis als een oven. Verstikkende rook wolkte naar buiten. Een stank van tientallen rottende kadavers kwam over de Bakenes te hangen. De brandemmers werden klaargezet, want de buurhuizen moesten gespaard blijven.'

Meneer Witte zweeg.

'Ja?' zei Rein, die het huis voor zijn ogen zag branden.

Oom Steven stond op. 'Laten we naar de hal gaan. De kaarsen, je weet wel.'

13. DE IMP

De kaarsen brandden allemaal nog. Hun kaarsrechte vlammetjes zetten de hal in een zacht licht waar af en toe kleine schaduwen in kropen.
Rein en zijn pleegvader gingen op de bank zitten. Rein zag dat hij zijn play-station aan had laten staan. De batterijen waren bijna leeg. Het schermpje liet alleen wat grijze lijnen zien.
'Om het kort te houden,' zei oom Steven, 'ze vonden in de kelder van het huis de verkoolde resten van de tovenaar. Hij had een schilderij van zichzelf bij zich. Dat schilderij had hij omarmd, alsof hij het met zijn lichaam tegen het vuur wilde beschermen.'
'O,' zei Rein. 'En... en wat...?'
'Wat toen?' Meneer Witte sloeg het boek dicht. 'Het belangrijkste staat niet in het verhaal, dat moet je zelf ontdekken. Weet je het?'
Rein schudde zijn hoofd. 'Was die tovenaar een echte zwarte magiër?'
'Die hond,' zei zijn pleegvader, 'daar gaat het om. Die is volgens het verhaal het huis in gevlucht. Maar hij is daar niet gevonden. Het beest moet ergens gebleven zijn.'
Rein was de draad even kwijt. Het verslag had spannend geklonken, maar het ging als een nachtkaars uit. Meneer Witte zag het aan zijn gezicht. 'Die hond,' legde hij uit, 'is belangrijk. Het was een poedel.'
'Dé poedel?' vroeg Rein.

Meneer Witte knikte.
'Dus die eh... Folkertz was echt een tovenaar?'
'Ja. En die poedel was geen poedel.'
Rein knikte bedachtzaam. 'Het was een imp. Een hulpduivel.'
'Dat heb je uit het boek dat op de bank in mijn leeskamer lag. Goed dat je het onthouden hebt. Inderdaad.'
'Er stond nog iets over meesters en slaven in,' zei Rein.
'Ja. De hulpduivel is geen helper. Hij is de tovenaar, de baas.'
'En nu is de poedel er weer...,' zei Rein.
'En de tovenaar ook. Er is weer een tovenaar in Haarlem. Een zwarte. En hij woont op de Bakenessergracht.'
'Daarom werd dat obsidiaan zo gifgeel,' zei Rein.
'Ja. Zonder het te weten, hebben we de steen op de goede plek neergelegd. Dat scheve pakhuis staat namelijk precies op de plek waar ooit het huis van Jerrit Folkertz stond. Folkertz was de tovenaar van Bakenes. Ik vraag me af wat er met dat schilderij is gebeurd. Ik hoop dat iemand verstandig genoeg was om het te vernietigen.'
Rein kreeg het gevoel dat hij in een horrorfilm meespeelde. 'En is die tovenaar terug? Na eh... vijfhonderd jaar? Uit het graf verrezen?'
Oom Steven lachte, maar de bezorgdheid verdween niet van zijn gezicht.
'Het klinkt spannend, dat weet ik. Maar het ís gevaarlijk. Jerrit Folkertz is al lang tot stof vergaan. Zelfs

van zijn botten is niets meer over. Voor hem hoeven we niet bang te zijn. Voor het portret misschien wél... Ach, ik maak me zorgen om niets. En nee, die nieuwe tovenaar is niet Jerrit Folkertz zelf. Het is iemand van nu. Een levende mens van vlees en bloed. Maar hij is wel besmet met de..., hoe zal ik het uitleggen, de herinnering aan Jerrit. Hij zou een tweede Jerrit kunnen worden. We moeten hem tegenhouden voordat hij sterk genoeg is om mijn kaarsen voorgoed te doven.'
Reins ogen gleden naar de twee kaarsen die voor zijn vader en moeder brandden.
'Hoe komt u erachter wie het is?' vroeg hij.
'Dat is precies het probleem,' zei meneer Witte. 'Ik denk dat het een van de bewoners van dat scheve pakhuis is. Maar wie...? En wat zou hij willen?'
'Keet trappen,' zei Rein. 'Storm maken die de kaarsen dooft. Dat zei de poedel tenminste.'
Meneer Witte knikte. 'Weet je wat het is, het kwaad wint nooit. Het kan niet winnen en dat weet het. Kwaad probeert alleen het goede zo lang mogelijk tegen te houden. En dat kan heel wat ellende veroorzaken.'
Hij stond op, liep naar de kandelaar en pakte er een kaars uit, die hij onmiddellijk door een nieuwe verving.
'Misschien krijgen we iets te zien.'
Op het salontafeltje maakte hij een cirkel van druppels kaarsvet, waar hij een vijfhoek in trok. De kaars zette hij in het midden.
'Let op de vlam.'

De vlam van de kaars werd ronder en groter, bijna zo groot als een schoteltje. Er verschenen lijnen in, vaag en heftig trillend, als op een kapot televisiescherm.
Toen het beeld scherper werd, zag Rein vuur in de kaarsvlam. Het vuur van een open haard.
In de vlammen verscheen een gezicht. Een duivels, misvormd, vuurrood gezicht met helwitte ogen en twee kromme hoorntjes op het voorhoofd.
Het gezicht bewoog alsof het zich soepel maakte. Daarna draaiden de ogen in de kassen. Eerst zoekend, van links naar rechts. Plotseling keken ze Rein recht aan. Er lag zoveel kwaadaardigheid in die blik dat Rein achteruitdeinsde.
Op hetzelfde moment sloot meneer Witte zijn hand over de kaarsvlam. Het schoteltje van licht slonk. Een kringeltje grijze rook steeg op tussen meneer Wittes vingers.
'Dat,' zei hij, toen Rein de angst in zijn benen voelde wegzakken, 'dat was géén hulpduivel. Dat was Asmodeus.'
Rein geloofde het direct.

14. De slaapwandelaar

In de open haard brandt een vuur met zoevende vlammen. Het kleurt alles rood, zelfs de zwarte kaarsen in de kast aan de overkant.
De vlammen buigen zich naar elkaar toe, lijken zichzelf plat te maken en krijgen dan de vorm van een gezicht.
Voor de haard, met zijn ogen aandachtig op de vlammen gericht, zit een poedel. Het dier likt zijn vuilgele tanden. Het houdt zijn kop scheef terwijl het luistert als de stem in het vuur begint te praten.
De slaapwandelaar, midden in de kamer, hoort of ziet niets. Hij staat met zijn ogen dicht, een beetje wankelend, als een dode boom in de wind.
Zweet druipt van zijn voorhoofd. Zijn gezicht vertrekt, zijn kaken spannen zich. De slaapwandelaar probeert wakker te worden. Het lukt hem niet. De spreuken die over hem zijn uitgesproken, zijn te sterk.
Hij wankelt naar zijn bureau, dat bezaaid is met paperassen. Met een onhandig gebaar wil hij iets van het werkblad vegen. Het lukt hem niet.
De poedel let niet op hem. Hij gaat op zijn achterpoten staan en loopt naar de kast tegenover de haard, waar de zwarte kaarsen branden.
'Nu,' sist hij.

Rein woelde in zijn slaap. Hij had het koud en door de warrige droombeelden heen leek iets naar hem te wenken.

Het was geen vinger, of een arm die hem riep, het was een vage vorm die een gezicht zou kunnen te zijn. Te vaag om te zien wie het was, duidelijk genoeg om hem te herkennen.
Daarna kwam de stem, fluisterend, van ver weg. 'Rein...' en dan iets dat een lach kon zijn, of een snik. 'Rein...' Zachter, verdwijnend als een echo en dan weer dichtbij, maar nooit dichtbij genoeg om de stem te herkennen.
Er kwam een nieuw geluid Reins droom binnen. Een dreigend gezoem dat veranderde in een gegier, waar hij uiteindelijk wakker van werd.
Rein bleef even rechtop in bed zitten. Hij wist niet meer waar hij was, want het zoemen en gegier gingen door. Pas toen hij zijn bedlamp had aangedaan, besefte hij dat het noodweer was. Regen sloeg tegen de ramen en de wind joeg om het huis. Dit deel van de droom was dus duidelijk. Maar vreemd genoeg leek de wind zijn naam te zoemen.
Rein stapte uit bed. Hij had dorst en moest naar de wc. De gang was half verlicht, zoals altijd 's nachts. Waar het licht vandaan kwam, had hij nooit kunnen ontdekken.
De wc was drie deuren verder. In plaats van erin te gaan, liep Rein door naar de hal. Hij wilde niet echt, maar hij kon zichzelf ook niet weerhouden.
De kaarsen brandden laag, alsof iemand ze op half had gezet.
Toen hij de hal binnenkwam, zag Rein het al. Of misschien was het meer een gevoel dat hem naar de twee

kaarsen van zijn ouders leidde.
Ze waren er weer. De gezichten van zijn ouders draaiden langzaam om hun as in de oranjegele vlammetjes. Rein boog zich over de kandelaar. De vlammen zwollen op en werden schotelrond.
'Papa, mama?'
Zijn ouders, piepklein, beverig in de kaarsvlam, glimlachten naar hem.

De slaapwandelaar staat, druipend van het zweet, alsof hij uit de regen komt, in de kamer. Hoort hij de poedel? Ziet hij het vuurrode gezicht in de vlammen van de haard? Het gezicht dat tevreden kijkt naar de poedel en zijn lippen in een brede plooi omhoogkrult? Het lijkt of de slaapwandelaar uit de ketens van de toverspreuk wil breken. Hij spant zijn spieren, balt zijn vuisten en rolt met zijn ogen.
Zwaar, alsof hij beton in zijn benen heeft, neemt hij een stap. De hond draait zich om en blaft nijdig naar hem.
De slaapwandelaar maakt log een halve slag en wankelt naar de deur. De hond gaat hem, op zijn achterpoten, achterna, maar blijft staan als hij ziet dat de man de trap beklimt. Even later slaat de slaapkamerdeur. De poedel gaat terug naar de kaarsen.

'Papa, mama, zijn jullie er?' Rein zag de gezichten vervagen, weer scherp worden en daarna in blokjes kleur uit elkaar vallen.
'Papa! Mama!'

De stem van zijn vader kwam van ver, alsof de wind hem meevoerde.
'Rein, we hebben er zo'n spijt van. We hebben je verwaarloosd. We hebben het zó verkeerd gedaan.'
Zijn moeders gezicht draaide een halve slag, zodat hij haar kon aankijken.
'Kun je ons vergeven?'
Bijna automatisch knikte Rein.
'We zitten vast achter de deuren van de hel...,' zei ze moeizaam. 'Ketens van vuur houden ons vast. Het is zulk raar vuur, Rein, lieverd. Het is zacht als een kaarsvlam maar harder dan staal.'
Zijn vaders stem klonk tussen een grom en een snik, toen hij zei: 'We verlangen zo naar vrijheid. Jij kunt de kettingen breken, Rein. We zullen weer gelukkig zijn. Net als vroeger, toen...'
'Doe het voor ons, Rein. Help ons...,' zei zijn moeder.
Het volgende moment waren de kaarsvlammen leeg.
Rein keek er lang naar. Uren, voor zijn gevoel.
Natuurlijk wilde hij zijn ouders terug. Natuurlijk wilde hij hen helpen.
Er was niet veel voor nodig om de kaarsen in de kandelaar te doven. Oom Steven verwachtte geen aanval vanuit zijn eigen huis. Als je eenmaal in de hal was, kon je de kaarsen zonder moeite doven. De kettingen van licht zouden verdwijnen en...
Rein durfde het niet. Nog niet. Hij sjokte naar bed en ging liggen piekeren.

De slaapwandelaar staat voor het raam van zijn slaap-

kamer. Hij probeert een loodzwaar been over de vensterbank te tillen.
De regen spat in zijn gezicht. Dakpannen ratelen op de wind.
Wie uit het raam stapt, komt vijftien meter lager terecht op de stenen van een binnenplaatsje. Het raam is een dodelijke ontsnappingsroute.
De slaapwandelaar klemt zijn kaken op elkaar en schuift een been naar buiten. Het bungelt even over de smalle vensterbank. Dan probeert hij zijn gewicht naar buiten te brengen, zodat hij over de vensterbank zal duikelen. Omlaag. De diepte in.
Zijn ene arm wiekt in het niets boven de binnenplaats. Met zijn andere probeert hij zich naar buiten te duwen.
Dan gaat de deur open. De poedel stormt naar binnen en bijt zich vast in de arm van de slaapwandelaar. Uit alle macht probeert hij hem naar binnen te trekken.

Rein hoorde zijn pleegvader niet meer binnenkomen. Hij was zich bewust van een deur die op een kier ging en een zacht: ‘Slaap lekker, makker.’
Hij zonk weg in een slaap vol draaiende gezichten en draden van licht.

15. Erwin

Woensdagmiddag. De storm van afgelopen nacht had een stilte met een strakblauwe lucht achtergelaten. Het was koud, met een zon die beterschap beloofde.

Rein stalde zijn fiets op de binnenplaats van de bibliotheek. De drie boeken in zijn tas waren fiks te laat. Hij had er een beetje de pest in dat zijn zakgeld nu aan boetes opging.

Terwijl hij in de rij bij de balie stond, zag hij Erwin, de jeugdbibliothecaris, voorbijkomen. Hij was nog bleker dan een paar dagen geleden. Zijn ogen hadden een rode rand en enorme wallen. Zijn haren hingen slap over zijn hoofd, glimmend alsof ze kletsnat waren van het zweet. Zijn rechterarm was in een dik verband gewikkeld. Hij hield hem stijf en een beetje van zijn lijf af, alsof iedere aanraking en iedere beweging pijn deden.

Toen hij zijn boeken had ingeleverd en de boete betaald, liep Rein naar de jeugdbieb. Erwin zat achter een beeldscherm en staarde in het niets.

'Hoi,' zei Rein.

Er kwam een vermoeide blik terug als antwoord.

'Wat heb je aan je arm?'

'Aangevallen door een hond.' Erwins stem was vlak, kleurloos. 'Een poedel, geloof ik.'

'Hè?'

Erwin schudde zijn hoofd, langzaam, vermoeid. 'Ik slaap slecht, de laatste tijd. Ik weet soms niet meer of

ik iets gedroomd heb, of dat het echt was. Deze arm is echt, dat weet ik. Maar of het echt een poedel was... het kan ook een herder zijn geweest. Ik weet niet eens meer waar en wanneer het is gebeurd. Zelfs de dokter die me heeft verbonden kan ik me niet herinneren.'
Hij wreef over zijn gezicht. 'Ik hoop dat je niet om advies over boeken komt, want ik kan mijn gedachten nergens bij houden.'
Rein keek naar de verpakte arm. Hij wist opeens zeker dat het niet zomaar een poedel was, die Erwin had aangevallen. De bibliothecaris had geluk gehad. De vorige slachtoffers van de imp waren er een stuk slechter van afgekomen.
In een opwelling tastte hij naar zijn hals en haalde het kettinkje met de hanger te voorschijn.
'Deze moet je omdoen. En naar mijn pleegvader komen.'
Erwin keek naar zijn uitgestoken hand met fletsblauwe ogen die niets zagen.
En hij zág natuurlijk ook niets, besefte Rein. Oom Steven had de ketting bewerkt.
En nou denkt ie wéér dat hij droomt, dacht hij, terwijl hij zich vooroverboog en de ketting om Erwins hals liet zakken.
Er gebeurde iets volkomen onverwachts toen de ketting de nek van de bibliothecaris raakte.
Erwins ogen verschoten van kleur. Zijn blik verloor het fletse en vlakke. Er leek weer bloed in zijn wangen te komen.
'Hé,' zei hij, 'dat is helemaal te gek. Wat deed je nou?'

'Uh, niks,' zei Rein. 'Enne, mijn pleegvader heeft gezegd dat je eens langs moet komen. Hij kan zorgen dat je je beter voelt.'
'Dat doe ik nu al. Is je pleegvader dokter? Of magnetiseur? Moet ik een afspraak maken?'
Rein schudde zijn hoofd en gaf zijn adres. Erwin schreef het op en beloofde dat hij zo snel hij kon op bezoek kwam. 'Misschien vanmiddag nog, na mijn dienst!'
Rein zat al weer op de fiets toen hij besefte dat er iets raars aan de hand was. Het kettinkje had hem tegen de poedel moeten beschermen, maar hij had het niet nodig gehad. De bibliothecaris was er behoorlijk van opgeknapt. Maar zou oom Steven dat wel bedoeld hebben toen hij zei dat Rein wist wanneer hij de ketting moest gebruiken?
Hij maakte zich vaag zorgen, terwijl hij tegelijkertijd dacht: ik wist dat ik de ketting nu moest gebruiken. Ik wist het. Maar waarom?

Meneer Witte liep in zijn kamerjas door de hal toen Rein thuiskwam. Een lange filtersigaret brandde in zijn hand. Er lag hier en daar as op de grond.
Zijn gezicht was een landkaart van rimpels en zijn blik was zo ver weg, dat Rein niet eens meer wist of hij wel goedendag moest zeggen. Hij sloeg het daarom over en zei: 'Erwin komt misschien vanmiddag langs.'
Zijn pleegvader keek hem niet-begrijpend aan. 'Erwin?'

‘Ja. Die bibliothecaris, weet je wel? U hebt zelf gezegd dat hij moest langskomen voor kruidendrankjes.’
Meneer Witte zuchtte.
‘Dat komt beroerd uit. Ik heb een afspraak buiten de deur.’
Reins blik gleed naar de kaarsen. Als zijn pleegvader er niet was, kon hij zijn ouders... Zou hij de kaarsen...? Hij durfde de gedachte niet af te maken, maar het besluit was genomen.
‘Heeft hij nog een tijd gezegd?’
‘Hè? O, eh... na zijn dienst. Wat gaat u doen?’
‘Uitzoeken welke zwarte kunst Jerrit Folkertz beheerste.’
‘Is dat belangrijk?’
‘Misschien kom ik erachter wat zijn plannen zijn.’
Rein knikte.
‘Weet u al iets over Folkertz?’
‘Te weinig. Eigenlijk alleen dat hij van de ene op de andere dag rijk was. Het werk van de duivel, natuurlijk. Er is een portret van hem... Wil je het zien? Folkertz had het tegen zich aan geklemd toen ze hem vonden. Niemand weet waar het gebleven is.’
Zijn pleegvader sloeg een map open die op de salontafel lag. ‘Het is een kopie. En dat is jammer, want het origineel zou me verder kunnen helpen.’
‘Hoezo?’ vroeg Rein.
‘Dat is lastig uit te leggen. Het heeft iets te maken met de kracht die een schilder in zijn afbeelding legt.’
Hij haalde een zwartwittekening van een norse man te voorschijn. Op zijn schoot lag een poedel die strak

keek naar een boek dat de tovenaar in zijn linkerhand hield. Zijn middelvinger lag gestrekt op het kaft, alsof hij ergens naar wees. De titel van het boek? Die was onleesbaar.
Rein wilde iets zeggen, iets vragen over de tekening, maar de bel ging.
Rein en zijn pleegvader keken op naar een spiegel die naast de deur hing. Hij liet de jeugdbibliothecaris zien, die met een jachtige blik in zijn ogen om zich heen keek.
Meneer Witte liep naar de deur. Nog voor hij hem helemaal open had, stond de bibliothecaris al binnen.
'Sorry,' hijgde hij, 'maar die hond zat me weer achterna. Wat moet dat verrekte beest van me?'
'Die poedel weer?' vroeg Rein.
'Ja.'
'Die zal zich bij dit huis niet laten zien,' zei meneer Witte terwijl hij zijn hand uitstak. 'We kennen elkaar, geloof ik, niet.'
'O,' zei de bibliothecaris teleurgesteld. 'Ik ben Erwin en ik dacht eh..., Rein had me uitgenodigd. Toch, Rein?'
'Jazeker, dat is in orde. Gaat u even op de bank zitten. Dan gaan we dadelijk naar mijn behandelkamer. Even deze papieren opbergen.'
Erwin wierp een blik op de map, terwijl hij ging zitten.
'Hé, de prent van Jerrit Folkertz,' zei hij, alsof de tekening niets bijzonders was.

16. PAPA, MAMA

Erwin besteedde verder geen aandacht aan het portret. Hij praatte vermoeid verder. 'Ik hoopte al dat u me kon helpen. Uw zoon heeft me...'
Meneer Witte, die stomverbaasd was, onderbrak hem. 'Weet u wie dit is?'
Erwin knikte. 'Ja, jazeker. De tovenaar van Bakenes. De pentekening is gemaakt voor een boek dat nooit is gedrukt. Ik heb er meer over geweten, maar ik kan mijn gedachten nergens bij houden, de laatste tijd.'
'Hoe weet u dat allemaal?' vroeg meneer Witte.
Erwin schokschouderde. 'Bibliothecarissen horen alles te weten. En ik ben een beetje in de geschiedenis van mijn straat gedoken. Ik woon er net en geschiedenis interesseert me.'
'Woont u op de Bakenessergracht?'
Erwin knikte. 'Maar ik denk dat ik weer ga verhuizen. Die etage waar ik woon deugt niet. Ik slaap niet meer en áls ik slaap word ik wakker, alsof ik de hele nacht zwaar werk heb gedaan. Daarom hoopte ik dat u... Rein zei dat u me...'
'Kon helpen? Zeker. Dat ga ik dadelijk doen. Maar u komt als geroepen. Ik doe namelijk onderzoek naar Jerrit Folkertz.'
'De tovenaar van Bakenes,' knikte Erwin. De pentekening is gemaakt voor een boek dat nooit is gedrukt. Ik heb er meer... Heb ik dat niet daarnet al gezegd?'
Meneer Witte knikte. 'Vertel eens hoe u op Jerrit

Folkertz gestuit bent?'
'De pentekening is gemaakt door...' Erwin keek opeens alsof hij van het ene op het andere moment de weg kwijt was. Verdwaald in het grijs van zijn slapeloosheid.
'Ik kan het niet zeggen,' bracht hij met een dunne stem uit. 'Ik heb geen woorden om het te zeggen. Alsof alles op slot gaat.'
Ergens buiten blafte een hond.
Meneer Witte holde naar de voordeur, trok hem open en deed een paar stappen naar buiten.
Rein zag Erwin bleek worden, er kwamen donkere kringen rond zijn ogen en zijn hoofd gleed opzij.
Toen meneer Witte de voordeur weer sloot, sliep de bibliothecaris.
Zijn borst ging traag op en neer, zijn mond hing een beetje open. Er kwam een zacht gesnurk uit.
'Hoe kan dit nou?' vroeg Rein.
Zijn pleegvader keek naar Erwin, hield zijn hand op een paar centimeter van zijn gezicht en maakte een vegend gebaar, alsof hij een ruit schoonwiste.
'Dit kan ook niet,' zei hij. 'Niet in mijn huis. We horen hier afgeschermd te zijn voor dit soort magie.'
Hij knielde, pakte Erwins hand en mompelde iets wat Rein niet verstond. De bibliothecaris hief zijn hoofd met een schok op, opende zijn ogen en zei: 'Ik woon in Jerrits huis, natuurlijk.' Daarna zakte hij weer weg in zijn slaap.
'Natuurlijk,' zei meneer Witte, terwijl hij overeind kwam. 'Ik had het kunnen weten.'

'Wat dan?' vroeg Rein.
'Hij woont in het pakhuis dat op de plaats van Jerrit Folkertz' huis staat. Hij is in de geschiedenis van zijn huis gedoken. En tijdens zijn onderzoek is hij iets tegengekomen. Daarom kent hij het portret.'
Hij knipte met zijn vingers. Rein zag een sleutelbos uit de broekzak van de bibliothecaris naar meneer Wittes hand zweven.
'Rein, jij blijft hier oppassen. Vroeger of later wordt Erwin wakker. Ik ga naar het huis op de Bakenessergracht. Let op het blaffen van de hond. Die heeft voor deze slaap gezorgd, ben ik bang. Wees voorzichtig. Beloof je dat?'
'Tuurlijk,' zei Rein.

Toen zijn pleegvader vertrokken was, ging Rein op de salontafel tegenover de bank zitten en keek naar de slapende man. Hij wilde het niet aan zichzelf toegeven, maar hij vond het eng. Iemand in een betoverde slaap tegenover je...
Het kettinkje had niet erg geholpen, dat was wel duidelijk.
Ik had die Erwin nooit mijn ketting moeten geven, dacht hij. Ik wil hem terug. Ik heb ook bescherming nodig.
Op zijn tenen liep hij naar de bank. Hij tastte naar de nek van de bibliothecaris. Met het gevoel alsof hij een dode beroofde, haalde hij het kettinkje onder de kraag van de slapende man vandaan. Heel voorzichtig, alsof hij bang was een dode te wekken, trok hij het over

Erwins hoofd. Zodra hij het in zijn hand had, werd het kettinkje weer zichtbaar. Dun, zilverkleurig, met een vijfhoek in een rondje als hanger. Hij durfde het niet om te hangen. Met de ketting in zijn hand, liep hij naar de kandelaar met de zevenenzeventig kaarsen.
Zijn ouders waren er weer.
Hun gezichten leken uit de vlammen te puilen. Hij zag hun verdrietige ogen, hij zag hun verlangen naar rust.
'Papa, mama...,' fluisterde hij.
'Lieverd,' zei zijn moeder. 'We zijn zo moe. Zo moe van het vuur. We willen zo graag slapen. Help ons toch, als je ons kunt vergeven.'
'Ja,' zei Rein. 'Ik kan jullie vergeven. Ik zal jullie helpen.'
Zijn vader lachte dankbaar. 'Je weet wat je doen moet, jongen. Verbreek de ketens van licht.'
'Ja,' zei Rein.
Buiten blafte een hond.

17. Het doven van de kaarsen

Rein wist wat de kandelaar deed, maar niet hoe hij werkte. Het kaarslicht scheen om de duisternis te verdrijven, zoveel begreep hij. Maar wat de kracht van de kaarsen was, had zijn pleegvader hem nooit uitgelegd.
Terwijl hij lucht naar binnen zoog om de kaarsen uit te blazen, wist hij dat hij iets gevaarlijks deed. Iets dat de koperen poorten van de hel zou openen. De ketens waar zijn ouders mee vastzaten, kon hij verbreken door de kaarsen te doven. Maar welke ketens zou hij nog meer verbreken?
Zijn ouders leken zijn twijfel te zien.
'Denk aan ons met liefde,' zei zijn moeder. 'Liefde maakt ons vrij.'
Ja, dacht Rein. Liefde. Daar gaat het om. Hij boog zich naar de onderste rij kaarsen, zoog zijn longen vol en blies.
De kaarsvlammen wapperden, sommige doofden, maar kregen direct een nieuwe vlam. Rein blies nog een keer. Het kettinkje in zijn hand wapperde mee en raakte een vlam. Het werd onmiddellijk zó heet, dat Rein het liet vallen.
'Ik zal je helpen,' zei een stem achter hem.
De bibliothecaris was van de bank opgestaan. Met wijdopen ogen, maar zonder iets te zien, als een slaapwandelaar, kwam hij op de kandelaar af.
Een hond blafte bij de voordeur en Erwin blies.

Wat Rein niet lukte, deed Erwin in één keer. De onderste van de ringen met kaarsen doofde.
'Ja!' juichte Reins moeder. 'Ja, het gaat. Ik voel de ketens schuiven.'
'Ga door, jongen,' zei zijn vader. 'Bevrijd ons!'
Rein was op zijn knieën gezakt om het kettinkje te pakken. Net toen hij zijn hand erop legde, schoot de voet van de bibliothecaris opzij en zwiepte de ketting naar de verste hoek van de hal.
'Ik zou je toch helpen?' zei hij met een stem die Rein niet meer herkende. Hij keek op.
De bibliothecaris was bezig met een gedaanteverwisseling. Zijn blonde haren waren zwart. Zijn gezicht werd mager terwijl Rein keek. Hij kreeg een vierkante kin, een ingevallen borst, zijn buik verdween alsof hij werd weggegumd.
Bij de kandelaar stond de man die Rein op de pentekening had gezien. Erwin de bibliothecaris veranderde in Jerrit Folkertz, de tovenaar van Bakenes.
'Blaas, lieve schat!' krijste zijn moeder uit de vlammen.
'Breek onze ketens, jongen. Nu! Anders zal ik je eens leren!' brulde zijn vader met een stem die rauw werd, schor en dierlijk.
Rein begreep dat hij een enorme fout had gemaakt. Hij wist niet hoe, of waarom, maar wel dat het zo was. Hij zette zich af met de punten van zijn schoenen en gleed over de vloer naar de muur waar het kettinkje lag. Als er nog bescherming was, was het de bescherming van de ketting.

Erwin, die nu zelfs de kleren van de tovenaar droeg - ze waren vaag en hingen als een soort krans om hem heen - blies de kaarsen op de tweede ring uit.
'Goed zo, lieverd, ga door!' riepen zijn ouders bemoedigend. 'De kettingen smelten. De poorten gaan op een kier. We zullen vrij zijn! Vrij!'
Rein hoefde niet naar de kaarsvlammen te kijken om te weten dat zijn ouders blind waren. Ze zagen niets, ze hadden waarschijnlijk nooit iets gezien. Ze waren het niet echt... Ze wáren het niet!
Hij graaide naar het kettinkje.
Voetstappen klonken achter hem. Hij sloot zijn vingers om het hangertje op het moment dat een hand zich om zijn nek sloot.
Rein werd opgetild en ruw op zijn voeten gezet. 'Meeblazen, jij,' zei een scherpe, dunne stem.
Erwins verandering was compleet. Hij was Jerrit Folkertz, de tovenaar van Bakenes.
Rein werd naar de kandelaar gesleurd en kreeg een stomp in zijn rug. In de hoestbui die de klap veroorzaakte, blies hij de laatste kaarsen van de tweede ring uit.
'En nog een keer,' gebood de tovenaar van Bakenes.
'Ja! Nog meer!' jubelde zijn moeder. 'De ketens zijn gouddraadjes geworden. Ik kan ze bijna breken!'
Reins vader kon al niet meer praten. Hij blafte als een poedel. 'Blazen, kreng,' grauwde hij.
Jerrit gromde instemmend, gaf Rein opnieuw een klap tegen zijn rug en blies de derde ring kaarsen in één keer uit.

Uit de kaarsen kwam nu een vreemd gelach. Een duivelse, dreigende, onaangename stem lachte een overwinningslach.
En in de vierde ring van de kandelaar doofden de kaarsen.

18. De poedelskern

De pijn in zijn nek. Die vingers die als stalen haken om zijn nek lagen. Rein voelde hoe hij uit de wereld wegzakte, terwijl hij nog steeds kaarsen uitblies. Samen met Erwin die Erwin niet meer was, doofde hij de vijfde ring kaarsen.
Nog twee ringen, dacht hij. Ik moet iets doen... Oom Steven moet terugkomen... Ik moet hem waarschuwen...
Maar hoe kon hij de witte tovenaar waarschuwen? Meneer Witte was op de Bakenessergracht. Het kon een eeuwigheid duren voor hij terugkwam.
'Meer kaarsen, Rein!' blafte zijn vader met de stem van een sprekende hond.
'Blijven blazen, kind van me,' riep zijn moeder, schor alsof ook haar stem niet menselijk meer was. 'Blijven blazen.' Ze blafte erbij.
Het hangertje in Reins gesloten vuist begon warm te worden, warmer, heter, tot hij het bijna niet meer kon vasthouden. De hitte van het metaal maakte zijn hoofd leeg en even heel helder.
Erwin had zich direct beter gevoeld toen hij de ketting om zijn hals kreeg. Als het Rein lukte hem opnieuw om te doen, zou de bibliothecaris misschien wakker worden. Hij zou zich kunnen verzetten tegen de zwarte magie.
Met alle kracht die hij nog over had, rukte Rein zich los uit de greep van de tovenaar. Terwijl hij achter-

overtuimelde, nam hij de ketting in twee handen. Hij kwam overeind en dook op de tovenaar af, die zich vooroverboog om de zesde ring kaarsen uit te blazen en gooide. Hij gooide mis.
De ketting gleed langs het gezicht van de tovenaar omlaag, bungelde even over zijn arm en kwam toen op de grond terecht.
Toch was Reins poging niet helemaal voor niets geweest. De ketting was inmiddels gloeiendheet. Met een rauwe brul draaide Jerrit Folkertz zich om. Hij haalde uit en schopte. Rein wist zich opzij te draaien, terwijl hij het kettinkje van de grond raapte.
Over het gezicht van de tovenaar lag een vuurrode streep. Een barst was het, waar Erwins gezicht doorheen schemerde.
Rein kwam overeind en wilde de ketting opnieuw gooien, maar zijn arm bleef midden in de beweging steken. Hij keek recht in de kaarsen van zijn ouders. De gezichten van zijn vader en moeder waren verdwenen. Uit de vlammen staarden rode ogen de kamer in. Terwijl hij keek, bogen de kaarsvlammen naar elkaar en vormden de kop van een poedel. Een poedel die groeide, dichterbij kwam en uit de kaarsvlam puilde.
Nog steeds riepen Reins ouders dat er nog kaarsen uit moesten. Ze deden het niet meer met hun eigen stemmen, maar met één stem die van ver weg kwam.
Jerrit probeerde zijn gespleten gezicht weer dicht te krijgen. Hij duwde de twee helften tegen elkaar en blies naar de kaarsen op de zesde ring.
De poedel groeide in de kaarsvlammen. Het was alsof

de hond langzaam door het vuur heen kwam.
En terwijl hij dichterbij kwam, veranderde hij. Zijn hondenpoten werden rode armen. Bijna menselijke armen, met handen waar vlijmscherpe nagels aan groeiden.
De kern van de poedel, dacht Rein, dwars door al zijn paniek heen. Dit is de kern van de poedel. Een duivel die uit het vuur kruipt.
Toen de kop van de poedel veranderde in een dieprood gezicht met twee hoorns en helwitte, borende ogen, wist hij nog maar één ding te doen. Hij smeet de ketting naar de kandelaar.
Een onderaards gebrul, een helse klacht kwam uit de kaarsvlammen. De kop van de duivel veranderde weer in een hondenkop.
Maar dat was alles. De poedel worstelde zich uit de twee samengesmolten vlammen en kwam met tikkende nagels op de grond terecht.
Jerrit Folkertz haalde diep adem en richtte zijn getuite lippen op de laatste ring kaarsen.
'Blazen, kind,' zei de poedel met de stem van Reins moeder. 'Uit, die kaarsen. We gaan de zaak hier eens goed naar de verdommenis helpen. Blazen, Reintje van me.'
Rein probeerde weg te kruipen over de vloer. Ver kwam hij niet. De poedel was met een paar stappen bij hem.
'Ach, lief kind, je hebt je papa en mama zo fijn geholpen,' zei hij met de stem van zijn vader. 'We zijn zo blij dat jij dacht dat mensen uit de onderwereld terug

kunnen komen. Zo fijn, een kind dat van zijn ouders houdt...' De poedel lachte grommend. 'Je hebt me goed geholpen. En als beloning... als beloning zal ik je bijten. Dan ben je bij je papa en mama voor je het weet. Ik zal de ziel uit je lijf zuigen.'
De hond opende zijn muil. Rein rook een putdiepe adem die naar rotte eieren stonk. Hij zocht met zijn ogen naar de ketting met het hangertje. Zou er nog genoeg kracht inzitten om de poedel te verslaan?
Hij spande zijn beenspieren en zette zijn handen zó op de grond, dat hij in één snelle beweging naar de voet van de kandelaar kon schuiven om het kettinkje weg te graaien. In gedachten telde hij tot drie.
Toen ging de voordeur open.

19. STOF

Meneer Witte kwam binnen met een schilderij onder zijn arm. Hij zag de poedel, zag Rein op de grond en zag Jerrit, die de laatste ring kaarsen uitblies.
Hij twijfelde geen moment.
'Jerrit Folkertz,' zei hij met een stem die galmde als onweer boven de bergen. 'Jij hoort hier niet en dat weet je. Draai je om.'
De tovenaar, die nog steeds de twee helften van zijn gezicht tegen elkaar drukte, draaide zich verbaasd om. De poedel boog zijn voorpoten, klaar om zich af te zetten voor een sprong. Zijn tanden puilden uit zijn muil.
'Rein, waar is je halsketting?'
Rein gaf geen antwoord. Hij voelde zich volstromen met energie. De pijn verdween. Hij gleed, half op handen en voeten, half schuivend, naar de plek waar zijn ketting lag.
Toen hij hem beet had, zei zijn pleegvader. 'Je weet waar die ketting hoort. Nu.'
Vreemd genoeg twijfelde Rein geen moment. Hij kwam overeind en gooide de ketting om de hals van Jerrit Folkertz. Op hetzelfde moment sprong de poedel. Hij richtte zijn tanden op de nek van meneer Witte.
'O nee,' zei de tovenaar. 'Het is tijd dat jij naar je baasje gaat.'

Hij hield het schilderij als een schild voor zich. De poedel verstijfde in zijn beweging en zakte toen door zijn poten.
Rein zag nu wat er op het doek stond. Het was het portret van Jerrit Folkertz. Geen pentekening, maar een echt schilderij. Folkertz, met een poedel die trouw zijn kop op zijn schoot legde.
'Terug naar huis, Jerrit.'
De tovenaar van Bakenes draaide zich log om. Hij werd wazig, alsof hij uit mist bestond. De barst in zijn gezicht werd breder. Het slapende gezicht van Erwin kwam er nu helemaal doorheen.
'Kom thuis,' zei meneer Witte nogmaals. De tovenaar van Bakenes liep, gehoorzaam als een slaapwandelaar, naar het schilderij. Hij stak een hand uit, raakte het doek aan en stapte erin. Erwin, nog steeds slapend, bleef achter.
'En mij krijg je niet,' krijste de poedel met de stem van Reins moeder. 'Rein, lieverd, je wilt ons toch terug?'
Rein kon zich niet bewegen. Hij durfde niets te zeggen.
De poedel draaide zich opeens om, maakte een sprong naar de kandelaar en deed een laatste poging om de kaarsen uit te blazen.
Meneer Witte nam drie grote stappen, struikelde over zijn eigen voeten en wist zich op het nippertje overeind te houden. Met een kreun van inspanning sloeg hij de poedel opzij en stak het schilderij in de laatste kaarsvlammen.

'Nee!' krijste de poedel. 'Rein! Bevrijd me! Help je arme mama-papa toch. Help...'
Maar de stem doofde uit terwijl de kaarsen opbloeiden tot vlammend gele rozen die aan het schilderij likten.
En het schilderij brandde. Het brandde als een fakkel. De poedel gaf een laatste kreet en smolt als ijs in een hete oven. Het krulhaar viel in druppels op de grond; huid, vlees en botten werden een dikke brij die veranderde in een kleurloze plas. Toen het vuur door het linnen van het schilderij sloeg, kwam er een woedende, onmenselijke kreet uit de plas viezigheid op de grond. Razendsnel nam de smurrie een vorm aan: een duivelse vorm die opgezogen werd door het brandende portret. Nog één verre, onderwereldse brul, toen was er alleen nog het knappen en ruisen van de vlammen in het schilderij.
Erwin zakte neer op de bank. Hij opende zijn ogen en zei: 'Moet ik wakker worden? Nu al? ik ben nog zo moe.'

20. Opruimen

De kaarsen in de kandelaar brandden rustig, met zoveel licht dat de hal erin baadde. Rein keek ernaar. Hij vroeg zich af of hij voortaan altijd zijn ouders in de kaarsvlammen zou blijven zien.
Zijn pleegvader las zijn gedachte. 'Je hoeft je nergens voor te schamen, Rein. Je dacht dat je deed wat goed was. Jij kon toch niet weten dat ze via jou mijn macht wilden ondermijnen?'
'Maar ik hoopte zo,' zei Rein met een half weggeslikte snik, 'dat mijn vader en moeder...'
'Ik snap het. Dat zou ik in jouw plaats ook gehoopt hebben. Ik zou precies hetzelfde gedaan hebben als ik in jouw schoenen stond.
Een ketel begon te fluiten. 'Kom op, Rein, we zetten samen thee.'
Ze lieten Erwin achter op de bank. De bibliothecaris staarde versuft voor zich uit. Hij had er blijkbaar geen idee van wat er allemaal was gebeurd.
Meneer Witte schonk voor hem een flinke slok rum in de thee, om bij te komen.

De resten van het schilderij lagen op een opengeslagen krant. Er was niet meer van over dan wat verkoold hout en een paar flarden geschroeid linnen.
Erwin kon zijn ogen nauwelijks openhouden. Zelfs de rum in de thee maakte hem niet echt wakker. Hij keek wazig van het schilderij naar de witte tovenaar.

'Dat schilderij?' vroeg hij voor de derde keer. 'Is dát schilderij me de baas geweest?'
'Het schilderij niet, de kracht die erin verborgen zat,' zei meneer Witte. 'Jerrit Folkertz heeft het ooit laten maken en er iets in gelegd dat... dat wakker is geworden.'
'Ik wou dat ík wakker werd,' zei Erwin. 'Ik voel me alsof ik dagen achter elkaar wakker ben geweest.'
'Nachten,' verbeterde meneer Witte hem. 'Ik heb je... hoe zal ik het zeggen, je werkkamer gezien.'
'Mijn wérkkamer? Die is nog helemaal niet ingericht. Er staan alleen maar dozen en meubelen.'
Meneer Witte glimlachte. 'Als ik het je vertel, geloof je me toch niet. Laten we naar je huis gaan. Ik heb daar nog iets te doen.'

Het huis op de Bakenes was vanbinnen minder scheef en oud dan het vanbuiten leek. Er waren moderne appartementen in gebouwd.
'Ik slaap op zolder,' zei Erwin, toen ze twee trappen hadden beklommen. 'Aan het eind rechts is mijn woonkamer. Hij opende een deur. 'En dit moet de werkkamer wor...'
Op slag sprakeloos keek hij Rein en meneer Witte aan. De kamer was compleet ingericht. In een open haard lag een halfverbrand houtblok. De antieke kast tegenover de haard stond vol zwarte kaarsstompjes.
Op een bureau, dat bezaaid was met papieren, stond een standaard, waar je een boek of een schilderij rechtop in kon zetten.

Meneer Witte glimlachte om Erwins stomme verbazing. 'Dat bedoelde ik,' zei hij. 'Je hebt nachtenlang in je slaap in deze kamer doorgebracht. Je herinnert je er natuurlijk niets van, want je was onder de betovering van het schilderij. Dat stond daar, op het bureau.'
Erwin schudde zijn hoofd. Hij was totaal in de war. 'Wat héb ik dan gedaan? En hoe... ik bedoel waarom... een betovering? Ik?' Hij keek naar de papieren op het bureau. 'Dat zijn míjn aantekeningen! Hoe komen die nou hier?'
'Je hebt iets wakker gemaakt dat sliep in het schilderij. Heb je zelf enig idee hoe?'
Erwin schudde zijn hoofd. 'Ik vond het in de kelder. Het was weggestopt op de plek waar vroeger de bakoven van Jerrit Folkertz' huis was. Ze hebben dit pakhuis namelijk op de kelder van Folkertz' huis gebouwd. Dat had ik al ontdekt in de bibliotheek. Ik wist niet van wie het was, tot ik in het magazijn van de bibliotheek een boek vond met de pentekening die u ook hebt. Ik heb het schilderij voorzichtig schoongemaakt en toen werd de tekst op dat boek leesbaar. Ik weet nog dat ik...'
Hij maakte zijn zin niet af. 'En daarna weet ik eigenlijk niets meer. Ik liep overdag in een soort mist. Wat stond er nou ook weer op dat boek? Het was Latijn.' Hij liep naar het bureau en graaide tussen de papieren. 'Kijk, dit stond er. 'Canus est...'
'Stop!' riep meneer Witte zó gebiedend dat Erwin onmiddellijk stopte.
'Dat was het. De titel van het boek heeft de hond ge-

wekt. Het was geen titel, maar een spreuk om de poedel uit de hel te roepen.'
'En heb ík dat gedaan?' vroeg Erwin.
Meneer Witte knikte. 'In je slaap werd je Jerrit Folkertz. De tovenaar van Bakenes. Jerrit was niet meer dan het knechtje van de poedel. Een menselijk hulpstuk voor de duivel die in die hond zat.
'Het ruikt hier ook naar hond,' zei Rein. 'Het stinkt hier.'
Meneer Witte knikte. 'En niet alleen naar hond. 'Er zit zwavel in de lucht. De magie is nog niet weg. Daar ga ik direct iets aan doen.'
Hij liep naar de kast en begon de kaarsstompjes van de planken te trekken. Rein en Erwin hielpen mee.
'Ik geloof dat ik jou erg moet bedanken,' zei Erwin tegen Rein. 'Dankzij jou is me veel narigheid bespaard gebleven.'
Rein glimlachte bescheiden.
'Oom Steven, weet u wat er gebeurd was als...?'
'Als ik niet had ingegrepen? Ik denk dat Erwin uiteindelijk ook overdag Jerrit Folkertz zou zijn geworden.'
Erwin keek hem aan met een ongelovige blik. Hij zag dat meneer Witte serieus was.
'Het eerste wat de poedel wilde, was mij uitschakelen.'
'En ik moest hem helpen...,' dacht Rein hardop. 'Mijn ouders zijn in een truc van die duivel getrapt en ik bijna ook.'
'Bijna, Rein, en dat is bij lange na niet genoeg.'
Toen hij een handvol kaarsstompjes in de open haard

had gegooid, viel Reins blik op het bureau. Het blaadje met de titel van Folkertz' boek lag er, alsof het hem aankeek. Hij las de regel: 'Canus est horribilis...' Onbewust prevelde hij de woorden. Hij had er geen idee van wat ze betekenden.
Ver, ver weg, ergens onder de wereld, blafte een hond.
'Rein!' riep meneer Witte geschrokken. 'Nu moeten we snel zijn. Kom op, alle kaarsen in het vuur. En dat blaadje erbij...'
De hond blafte. Dichterbij nu.
De laatste kaarsstompen gingen in de haard. Meneer Witte stak zijn beide handen uit, spreidde zijn vingers en fluisterde iets.
Het volgende moment sprongen vlammen op uit het houtblok. Kleine, gele vlammetjes die eerst speels dansten, maar toen bijna kaarsrecht brandden. Het geel veranderde in rood. Vuurrood. En uit de rode vlammen kwamen schaduwen die een gezicht vormden. Een demonische kop met hoorntjes, kwaadaardige ogen en een mond met een duivelse grijns om de smalle lippen.
'Het schilderij is er gelukkig niet meer,' zei meneer Witte, terwijl ze alledrie naar het gezicht keken. 'Folkertz' macht is gebroken. Hij is geen poort naar onze wereld meer.'
Erwin bracht een schor geluid uit. Zijn ogen stonden weer wazig, zijn handen trilden en het leek of hij zijn mond wilde tegenhouden. Maar hij praatte. 'Canus est horribilis, vacui est...'
Rein wist wat Erwin deed. Hij maakte de spreuk op

het blaadje af. Tegen zijn zin, maar hij kon niet stoppen.
'O nee,' zei meneer Witte. 'Dit lukt niet nog eens.'
Hij knikte gebiedend naar het vuur. Een regen van vonken steeg op uit het houtblok en het duivelse gezicht viel uit elkaar. De zwarte kaarsstompjes smolten razendsnel.
Met een gemoorde kreet verdween de duivelse kop uit de vlammen.
Het blaffen dat voortdurend had geklonken, hield plotseling op.
Rein merkte dat de hondenlucht verdwenen was.
In de open haard dansten kleine, gele vlammetjes over het hout.
Ze zetten de kamer in een vrolijk licht, alsof er zevenenzeventig magische kaarsen brandden in een grote kandelaar.

WAAROM IK DIT BOEK SCHREEF

Af en toe schrijf je een boek dat te vroeg afgelopen is. Na het laatste hoofdstuk vind je het jammer dat de hoofdpersonen niet nog meer kunnen beleven.
De heksen van het zwarte licht was zo'n boek. Ik miste de hoofdpersonen Rein en Steven Witte af en toe. Ik had het idee dat hun verhaal nog niet af was, maar wat ik verder over hen moest vertellen, wist ik niet.
Tot ik op mijn zomervakantie in een piepklein Frans dorpje zin kreeg om een verhaal te gaan schrijven. Het moest gaan over een slaapwandelaar. Verder had ik geen idee. Al na twee bladzijden had ik iemand nodig met verstand van tovenarij. Steven Witte, de magiër uit *De heksen van het zwarte licht* schoot me te binnen. Samen met hem, kwam ook Rein het verhaal binnen.
Toen ik wist dat mijn verhaal over hen tweeën moest gaan, gingen er plotseling luikjes in mijn hoofd open. Er rolden allerlei ideetjes uit die helemaal bij Rein en zijn pleegvader pasten.
Voor ik het wist, zat ik midden in het avontuur. Hoe het ging aflopen? Wat er allemaal moest gebeuren? Geen flauw benul. Ik schreef maar wat. Tijdens het schrijven vertrouwde ik helemaal op Rein en Steven Witte. Zij hebben me veilig door dit boek heen geloodst. Eerlijk gezegd, hoop ik dat ik nog een keer een idee krijg waar zij de hoofdrol in kunnen spelen. En dat terwijl ik niet eens van series hou.

Wie is Bies van Ede?

Geboortedatum: 27 april 1957
Woonplaats: Haarlem (noord)
Lengte: 184,5 cm
Gewicht: 84 kilo
Hobby's: computeren
Huisgenoten: Susan, Jeroen en vier katten
Eigenaardigheden: ik droom soms dat ik wakker ben.
Lievelingseten: ik lust alles, zolang het maar bij kaarslicht is.
Lievelingskleur: Susans ogen
Favoriete muziek: Black Sabbath, Three Dog Night
Favoriete woord: af
Favoriete sport: poedelen in het zwembad
Favoriete kinderboek (als kind): *Meneer de hond* (een Gouden Boekje, dat je tegenwoordig weer kunt kopen)
Favoriete kinderboek (nu): *De bezwering* (van Tjibbe Veldkamp)
Persoonlijk motto: Ach, also das ist des Pfudels kern!

WACHTWOORD THRILLER

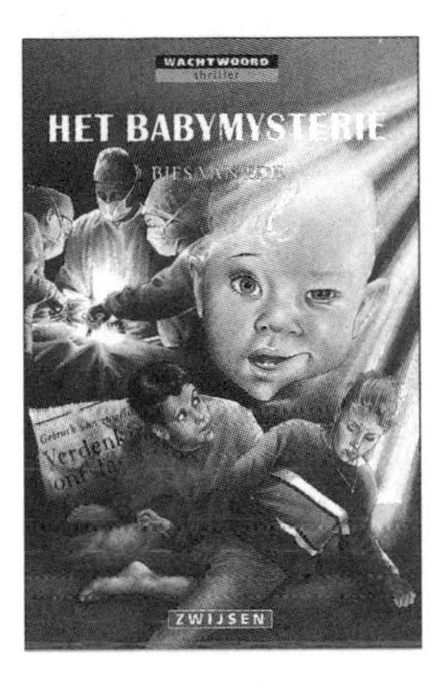

BIES VAN EDE

Het babymysterie

Bij Saskia in de buurt is een nieuwe woonwijk uit de grond gestampt. Daar wonen alleen modelgezinnen in de mooiste huizen. Alle vaders hebben een goede baan. En alle moeders lijken op filmsterren. En de baby's...
Met de baby's is iets heel raars aan de hand. Maar wat? En wat hebben Krullenkopjes ermee te maken?
Samen met Bud gaat Saskia op onderzoek uit. Ze stuiten op een afschuwelijk geheim...

WACHTWOORD GRIEZELEN

TON VAN REEN

Het griezelkasteel

Stijn is gek op griezelen. Als in de bioscoop de bloedstollende film over graaf Dracula draait, gaat Stijn ernaartoe. Daar ontmoet hij Roderik, die hem meteen te logeren vraagt in het kasteel waar de spannende Draculafilm is opgenomen. Het lijkt een gewoon kasteel, maar al snel heeft Stijn in de gaten dat niet alles pluis is. Want wat betekent het briefje waarop *help* is geschreven? En van wie is het afkomstig?
Het wordt allemaal nog vreemder als Elfie, het zusje van Roderik, een vriendinnetje meebrengt dat ook blijft logeren: Lizzy.
Zou het Stijn en Lizzy lukken om de geheimen van het kasteel te ontrafelen?